Destination JULES VERNE

L'aventure de la science-fiction

Textes de Gwenaëlle Aznar
Conception Catherine Chauveau

Tana
éditions

SOMMAIRE

Le maître de l'imaginaire

Le XIXe siècle est un siècle de bouleversements à tous les niveaux. La mise au point des machines à vapeur modifie les activités humaines, diminue les distances grâce au train, les révolutions politiques se succèdent, les villes grossissent et s'assainissent, les sciences avancent de découverte en découverte. Jules Verne, né en 1828 et mort en 1905, sera un témoin actif de son époque.

Naufragé… involontaire

Jules Verne est l'aîné d'une famille de cinq enfants. Son frère, Paul, naît un an après lui et sera un compagnon de jeu idéal. Ensemble, ils s'imaginent mille histoires dans la campagne et sur les quais Feydeau, à Nantes, où de nombreuses embarcations de toutes sortes les font rêver. Il leur arrive de naviguer sur la Loire à bord d'un petit bateau. Un jour où il est seul, il fait naufrage et se retrouve abandonné pendant quelques heures sur un îlot ! C'est un enfant sans problèmes qui se passionne tôt pour les romans de littérature enfantine.

Célibataire malgré lui

Il connaît son premier chagrin d'amour à dix-neuf ans, lorsque sa cousine Caroline se marie. Puis c'est le tour d'Hermini, dont la famille choisit un meilleur parti. Jules Verne bout de rage. Avec onze amis célibataires, il forme le groupe des « Onze sans femmes » et passe ses nuits à discuter, jouer aux cartes, écouter de la musique. Mais, tour à tour, les célibataires se marient, et Jules Verne se désespère. Enfin, il rencontre Honorine, une jeune veuve de vingt-six ans qui a déjà deux petites filles et, pour être sûr de plaire à la famille et de subvenir à ses besoins, il devient agent de change. Cela ne durera pas longtemps !

Jules et Honorine Verne

Le droit mène à tout

Jules Verne a derrière lui trois générations de juristes. Il suit des études de droit pour pouvoir un jour reprendre le cabinet de son père. Mais, à Paris, il côtoie les salons littéraires, se fait des amis artistes et entame la rédaction de pièces de théâtre et de nouvelles. Puis Jules Verne se lance dans l'écriture d'un roman, *Cinq Semaines en ballon*, mêlant fiction et connaissances scientifiques, qu'il confie à un éditeur. Celui-ci sera enthousiasmé, sans toutefois ménager son auteur à qui il demandera de nombreuses corrections et réécritures avant d'accepter de le publier. Ils réaliseront ensemble une soixantaine de romans sous un titre commun : *Les Voyages extraordinaires*. Certains de ses romans deviendront célèbres et seront traduits en plusieurs langues, adaptés au théâtre, d'autres passeront inaperçus. Son succès franchit les frontières, il devient Verne Gyula en Hongrie, et un écrivain italien fait le voyage pour s'assurer qu'il existe bel et bien ! Jules Verne regrettera toujours de ne pas avoir été accepté à l'Académie française.

Michel Verne enfant

Un fils rebelle

En 1861, Jules Verne a un fils, Michel. Pris par ses occupations, il ne s'occupe guère de celui-ci, qui cherche par tous les moyens à attirer l'attention de son père et devient de plus en plus difficile. Lorsqu'il a quinze ans, Jules Verne enferme son fils dans une maison de redressement... Fou de rage, Michel entre dans une colère noire, et son père le retire pour le faire embarquer sur un navire en partance pour les Indes. La réconciliation entre père et fils ne viendra que plus tard, et Jules Verne, comme pour se consoler, écrit *Un capitaine de quinze ans*, *Ptit Bonhomme*, romans dans lesquels les héros adolescents sont exemplaires en tout point...

Le maître de l'imaginaire

Capitaine au long cours

Bien que n'ayant pas fait le tour du monde comme ses héros, Jules Verne a voyagé. Il embarque avec un ami sur un bateau et se rend en Angleterre, en Écosse, sur la côte hollandaise et au Danemark. Avec son frère, il traverse l'Atlantique à bord du plus grand paquebot de l'époque, le *Great Eastern,* et visite New York et les chutes du Niagara. Il se découvre surtout l'âme d'un capitaine et s'achète un premier bateau, une simple chaloupe de pêche qu'il aménage pour la plaisance. Avec l'aide de deux marins, il navigue sur les côtes de la Manche et de l'Atlantique. Le *Saint-Michel* est remplacé quelques années plus tard par le *Saint-Michel II,* un grand voilier, puis par le *Saint-Michel III,* un magnifique yacht de 28 mètres de long qui réclame un équipage de dix personnes ! À son bord, il réalise cinq grands voyages.

Le "Saint-Michel"

Caricature de Pierre-Jules Hetzel

Une mauvaise année : 1886

L'année 1886 n'est pas une bonne année pour Jules Verne. Il s'inquiète de ses revenus qui baissent, même s'ils sont encore confortables, et, pour subvenir aux besoins de son fils en faillite, il se voit contraint de se séparer de son yacht qui lui coûte une fortune. Quelques semaines plus tard, il croise son neveu un peu faible d'esprit, et celui-ci lui tire malencontreusement une balle dans le pied. Les médecins n'arriveront pas à l'extraire, et Jules Verne restera boiteux jusqu'à la fin de ses jours. Et, pour finir cette année terrible, son éditeur et très bon ami, Pierre-Jules Hetzel, meurt. Ces épreuves le dépriment et l'éloignent passagèrement de l'écriture.

Le notable d'Amiens

En 1888, il se présente au conseil municipal d'Amiens, ville dans laquelle il est installé depuis seize ans. Il est élu et réélu jusqu'en 1904. Il fait tout pour essayer d'embellir la ville, protégeant les espaces verts contre le développement immobilier, tentant de faire enterrer les lignes de tramway, etc. Les deux grandes actions que l'on retient souvent de son exercice politique ont été de faire construire un cirque en dur dans la ville et de se battre contre le maire pour que l'école de médecine subsiste.

Jules Verne et son chien Follet. (Phot. Herbert, Amiens.)

Une vie bien remplie

Le 24 mars 1905, l'auteur de quatre-vingts romans et nouvelles meurt d'une crise de diabète. Il a soixante-dix-sept ans. Sa dépouille est suivie par une foule dense parmi lesquels figurent de nombreuses personnalités, mais pas un seul membre de l'Académie française, pas un seul représentant du gouvernement... Son éditeur reçoit trois cent cinquante condoléances de journaux du monde entier. Qu'importe, sa notoriété ne cessera de croître, une trentaine de ses ouvrages sont portés à l'écran, et c'est encore aujourd'hui l'un des auteurs les plus traduits dans le monde.

Jules
& la

Au XIXe siècle, les océans sont un vrai mystère. Les explorations sous-marines débutent à peine. C'est l'occasion pour Jules Verne de faire preuve d'une grande imagination. De nos jours, les grands fonds commencent tout juste à être parcourus, leur faune et leur flore peu à peu étudiées. Les océans restent un domaine vierge pour les aventuriers : moins d'un dixième des fonds sous-marins ont été explorés.

mer

Vingt Mille Lieues sous les mers

Dans « Vingt Mille Lieues sous les mers », le professeur Aronnax est chargé de prendre part à une expédition recherchant un étrange monstre marin qui inquiète les populations de la planète. Il est accompagné par son valet Conseil et Ned Land, un chasseur de baleines. Alors que l'équipage pense avoir harponné l'animal, les trois hommes tombent à l'eau ! Le monstre n'est en réalité qu'un sous-marin, le « Nautilus ». Son capitaine, l'étrange Nemo, sauve nos trois compères… pour en faire des prisonniers ! Commence alors un incroyable périple sous les mers.

« Le doute n'était pas possible ! L'animal, le monstre, le phénomène naturel qui avait intrigué le monde savant tout entier, bouleversé et fourvoyé l'imagination des marins des deux hémisphères, il fallait bien le reconnaître, c'était un phénomène plus étonnant encore, un phénomène de main d'homme.
La découverte de l'existence de l'être le plus fabuleux, le plus mythologique, n'eût pas, au même degré, surpris ma raison. Que ce qui est prodigieux vienne du Créateur, c'est tout simple. Mais trouver tout à coup, sous ses yeux, l'impossible mystérieusement et humainement réalisé, c'était à confondre l'esprit !
Il n'y avait pas à hésiter cependant. Nous étions étendus sur le dos d'une sorte de bateau sous-marin, qui présentait, autant que j'en pouvais juger, la forme d'un immense poisson d'acier. L'opinion de Ned Land était faite sur ce point. Conseil et moi, nous ne pûmes que nous y ranger. »

*

« "– Et ces autres instruments dont je ne devine pas l'emploi ?
– Ici, monsieur le professeur, je dois vous donner quelques explications, dit le capitaine Nemo. Veuillez donc m'écouter."
Il garda le silence pendant quelques instants, puis il dit :
" Il est un agent puissant, obéissant, rapide, facile, qui se plie à tous les usages et qui règne en maître à mon bord. Tout se fait par lui. Il m'éclaire, il me chauffe, il est l'âme de mes appareils

mécaniques. Cet agent, c'est l'électricité.
– L'électricité ! m'écriai-je assez surpris.
– Oui, monsieur.
– Cependant, capitaine, vous possédez une extrême rapidité de mouvements qui s'accorde mal avec le pouvoir de l'électricité. Jusqu'ici, sa puissance dynamique est restée très restreinte et n'a pu produire que de petites forces !
– Monsieur le professeur, répondit le capitaine Nemo, mon électricité n'est pas celle de tout le monde, et c'est là tout ce que vous me permettrez de vous en dire. "»

*

« "Voici, monsieur Aronnax, les diverses dimensions du bateau qui vous porte. C'est un cylindre très allongé, à bouts coniques. Il affecte sensiblement la forme d'un cigare, forme déjà adoptée à Londres dans plusieurs constructions du même genre. La longueur de ce cylindre, de tête en tête, est exactement de soixante-dix mètres, et son bau, à sa plus grande largeur, est de huit mètres. Il n'est donc pas construit tout à fait au dixième comme vos steamers de grande marche, mais ses lignes sont suffisamment longues et sa coulée assez prolongée, pour que l'eau déplacée s'échappe aisément et n'oppose aucun obstacle à sa marche." »

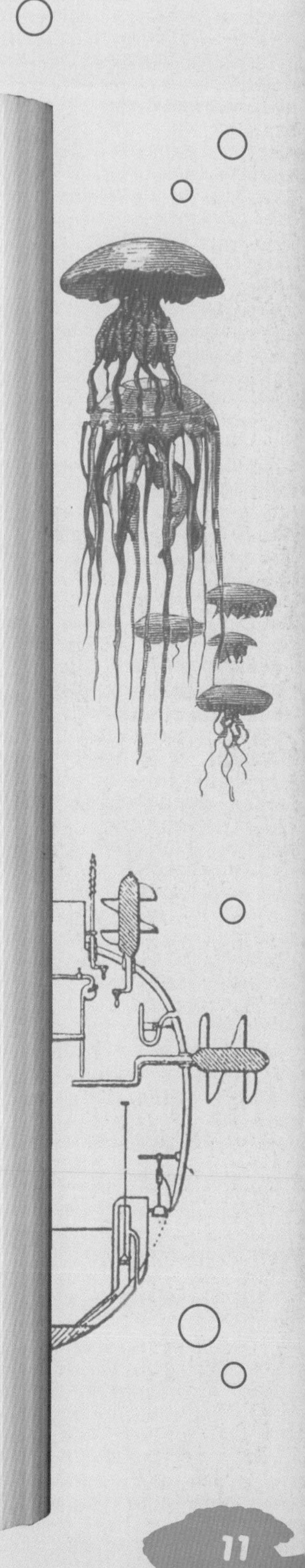

En passant par l'Atlantide

2 Vu !

Au large des côtes japonaises, le monstre de fer fait son apparition. Après une rude bataille, Ned Land, Conseil et le professeur sont faits prisonniers par le capitaine Nemo.

3 Les scaphandres

Le capitaine propose à ses hôtes une partie de chasse en forêt… sous-marine ! Les quatre hommes revêtent alors des scaphandres qui leur permettent de se déplacer sous l'eau tout en étant approvisionnés en oxygène.

4 À terre !

Dans le dangereux détroit de Torres, le *Nautilus* heurte un écueil : il faut attendre une forte marée pour repartir. Ned Land, Conseil et le professeur profitent de cette pause forcée pour retrouver les joies de la terre ferme.

Carte

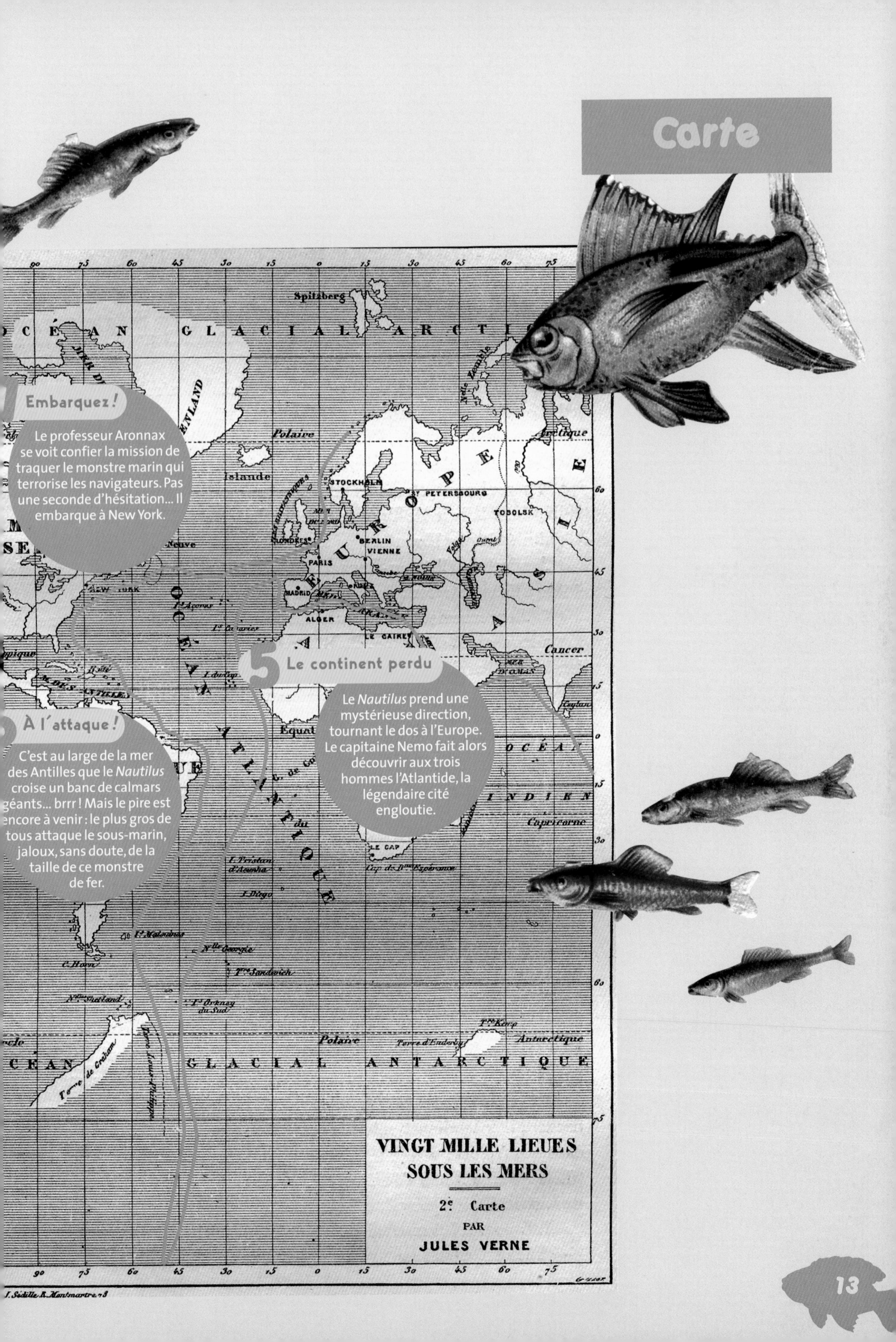

Embarquez !

Le professeur Aronnax se voit confier la mission de traquer le monstre marin qui terrorise les navigateurs. Pas une seconde d'hésitation... Il embarque à New York.

À l'attaque !

C'est au large de la mer des Antilles que le *Nautilus* croise un banc de calmars géants... brrr ! Mais le pire est encore à venir : le plus gros de tous attaque le sous-marin, jaloux, sans doute, de la taille de ce monstre de fer.

5 Le continent perdu

Le *Nautilus* prend une mystérieuse direction, tournant le dos à l'Europe. Le capitaine Nemo fait alors découvrir aux trois hommes l'Atlantide, la légendaire cité engloutie.

Les inventions de Jules

Jules Verne publie en 1870 « Vingt Mille Lieues sous les mers ». Son héros, le capitaine Nemo, sillonne les océans à bord d'un incroyable submersible, le « Nautilus ». Cet engin ressemble fort à un sous-marin nucléaire : il fonctionne à l'électricité et dispose d'une autonomie quasi illimitée. Or, le premier submersible électrique n'est construit qu'en 1888, et le sous-marin nucléaire ne voit le jour qu'en 1954… Retour sur la naissance des premiers sous-marins.

Les connaissances de l'époque

Avant le XIXe siècle, c'est la préhistoire des sous-marins. Le premier engin submersible est inventé en 1624. Propulsé par douze rameurs, il a navigué dans la Tamise, provoquant la surprise générale ! Puis, en 1775, durant la guerre de l'Indépendance américaine, un drôle d'engin baptisé *Turtle* (la « tortue »), dépose une caisse de poudre explosive sous un navire anglais dans le port de New York.

Tout au long du XIXe siècle, différents types de sous-marins voient le jour, chacun apportant son lot d'innovations. En 1800, le *Nautilus* (Jules Verne a baptisé le sous-marin de Nemo en souvenir de celui-ci) effectue sa première plongée dans la Seine. Sa forme rappelle celle des sous-marins modernes, tout comme sa coque, pour la première fois métallique. Mais les appareils sont lents et ne plongent pas profondément dans la mer. Ces caractéristiques s'améliorent en 1888, avec la création du *Gymnote*. L'engin est propulsé grâce à l'électricité et peut rester quatre heures en immersion. En 1896, le *Narval* s'approche davantage des sous-marins modernes. Ce torpilleur de 200 tonnes est capable de franchir 800 kilomètres en surface, 100 kilomètres en plongée et d'atteindre 50 mètres de profondeur.

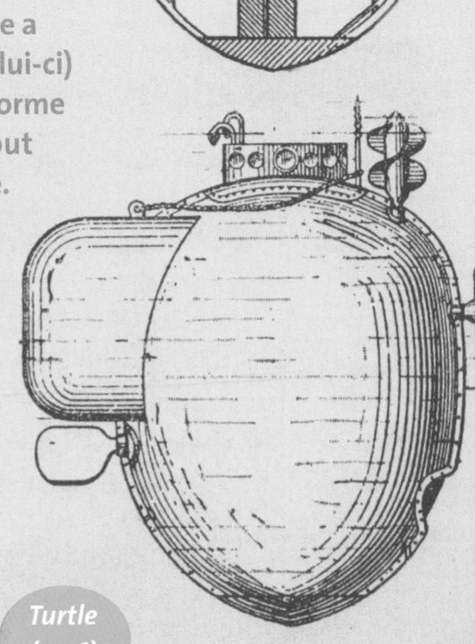

Turtle (1776)

Ce que l'on sait aujourd'hui

C'est au XXe siècle que les sous-marins se développent véritablement. Ils sortent du stade de prototype et commencent à être fabriqués en série. Lors de la Première Guerre mondiale, plus de neuf cents sous-marins sont construits. Leur importance militaire devient telle qu'une défense se met en place pour pouvoir les détecter et les attaquer. Ils joueront également un grand rôle durant la Seconde Guerre mondiale. Le premier sous-marin nucléaire voit le jour en 1954. Malgré ses grandes qualités, autonomie, vitesse, discrétion, son coût de fabrication exorbitant limite sa prolifération. Aujourd'hui, les sous-marins ne cessent de se perfectionner : durée d'immersion, vitesse, dissimulation, puissance et précision de leurs armes, etc. Une incroyable course technologique est engagée entre les améliorations des sous-marins... et celles de la lutte anti-sous-marine !

Le *Gymnote* (1888)

Horace Lawson Hunley

Horace Lawson Hunley réalise, au début de la guerre de Sécession, l'importance d'être innovant pour combattre la grande flotte nordiste et décide de concevoir un sous-marin de guerre. Les essais sont catastrophiques, l'appareil coule à plusieurs reprises, causant la mort de l'équipage et de Hunley lui-même. Néanmoins, renfloué, l'engin réussit à couler une frégate nordiste en 1864 avant de sombrer à son tour... En 1995, une équipe d'archéologues découvrent l'appareil et le remontent à la surface en 2000 pour l'étudier. À leur grande surprise, ils ont trouvé les corps des membres de l'équipage tranquillement installés à leur poste de travail. Ces hommes n'avaient donc même pas essayé de s'enfuir !

Les sous-marins militaires

Les sous-marins sont à l'origine des engins de guerre destinés à couler des navires à l'aide de torpilles ou même à atteindre des cibles terrestres à l'aide de missiles. Naviguer, dormir, respirer, tout est très particulier à bord d'un submersible. Découvre quelques sous-marins militaires et le quotidien d'un équipage.

La navigation

Sous la mer, on ne voit pas plus loin que le bout de son nez ! À 40 mètres de profondeur, il ne faut pas espérer apercevoir quelque chose à plus de 5 mètres, et à 80 mètres, il fait nuit noire ! Le commandant du sous-marin ne peut donc pas compter sur ses yeux pour naviguer, et encore moins sur la position du soleil ou des étoiles... Un ensemble d'appareils de mesure est relié à un ordinateur qui calcule la position du sous-marin et permet ainsi sa navigation.

À l'intérieur d'un sous-marin avec Humphrey Bogart

Vivre dans un sous-marin

Lorsqu'un sous-marin part en mission, c'est souvent pour trois mois. Soixante-dix à cent quarante personnes vont ainsi cohabiter dans un espace exigu. L'équipage est composé de spécialistes : mécaniciens, électriciens, informaticiens, spécialistes des torpilles, cuisinier, médecin... Les hommes (eh oui ! il n'y a jamais de femmes à bord !) dorment dans des cabines accueillant de six à neuf personnes. Seul le commandant a une cabine pour lui tout seul. Le lieu de détente est la cafétéria où l'on peut boire un café, jouer aux cartes ou regarder un film.

De l'air, de l'air !

Lorsque tu respires, tu absorbes de l'oxygène et rejettes du gaz carbonique. Imagine une centaine de personnes enfermées... L'atmosphère devient très vite irrespirable. Où trouver l'oxygène nécessaire ? Nulle part ! Il faut alors le fabriquer sur place ! Une petite usine produit de l'oxygène en passant un courant électrique dans de l'eau tandis que de gros ventilateurs évacuent l'air « pollué » vers une installation qui ôte le gaz carbonique. Et le tour est joué !

Noir profond

Dans les profondeurs de la mer, il fait toujours sombre. Pour éviter que les hommes ne perdent la notion de jour et de nuit, le soir, la lumière est atténuée dans toutes les parties du sous-marin, et certaines pièces ne sont éclairées que par une lumière rouge. Ainsi, si le sous-marin refait surface en pleine nuit, l'équipage ne sera pas dépaysé.

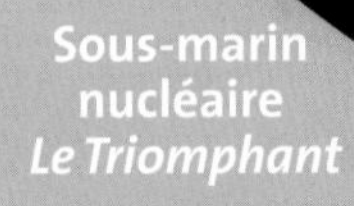

Sous-marin nucléaire *Le Triomphant*

Les différents types de sous-marins

Il existe trois types de sous-marins militaires. Le plus économique, et aussi celui que l'on rencontre le plus souvent sous les mers, est le sous-marin Diesel. Il est propulsé par des moteurs électriques alimentés par des batteries. Mais elles se déchargent vite. Au bout de deux ou trois jours, il faut les recharger à l'aide de moteurs Diesel. Le hic : ces moteurs ne fonctionnent pas sans air. Il faut alors prendre le risque de se faire repérer et remonter à la surface puis aspirer bruyamment de l'air à l'aide d'un gros tube appelé le schnorchel.

Les deux autres types de sous-marins fonctionnent grâce à l'énergie nucléaire. Les premiers, de taille moyenne, possèdent des torpilles et des missiles, les seconds détiennent des missiles nucléaires capables d'atteindre un point de la surface du globe situé à 4 000 kilomètres. Grâce à cette énergie, les sous-marins nucléaires peuvent parcourir 500 000 kilomètres contre 15 000 kilomètres pour les sous-marins Diesel.

Les sous-marins civils

Les sous-marins ne sont pas tous conçus dans l'intention de torpiller des bateaux ou de surveiller les océans. Leurs usages sont multiples : réparer des plates-formes pétrolières, poser des canalisations au fond des mers, explorer les fonds marins, sauver des sous-marins en péril... Ils servent même parfois à faire découvrir la beauté des océans aux touristes.

Les bathyscaphes

Un bathyscaphe est un engin qui explore les fonds sous-marins. Son fonctionnement est presque le même que celui du sous-marin. On remplit ses réservoirs pour le faire descendre. En revanche, la technique utilisée pour le faire remonter est différente. Des petits morceaux de fer attirés par un électroaimant servent de lest. Une fois le courant coupé, leur poids diminue et l'appareil peut remonter à la surface. La première bathysphère date de 1934 et plonge à 923 mètres sous la mer. Une course aux records de plongée s'engage jusqu'en 1960, date à laquelle le *Trieste* plonge au plus profond de l'océan, à 10 916 mètres dans la fosse des Mariannes.

Sous-marin d'exploration

Sous-marin en détresse

Les accidents sont le plus souvent mortels pour les équipages qui sont coincés à l'intérieur. Or, qui est mieux placé pour sauver l'équipage d'un sous-marin qu'un autre sous-marin ! Les Américains conçoivent, après la Seconde Guerre mondiale, des petits sous-marins de sauvetage. Ces appareils peuvent plonger jusqu'à 600 mètres, s'arrimer au sous-marin en détresse et évacuer le personnel grâce à un sas. D'autres engins plus récents disposent de capsules détachables. Mais il n'est pas toujours facile de sauver l'équipage, comme ce fut le cas pour le naufrage du *Koursk*, en Russie, en 2000, dans lequel cent dix-huit personnes périrent.

Bravo -stop-

Simon Lake, un jeune Américain, dévore à douze ans *Vingt Mille Lieues sous les mers* et décide qu'un jour il construira le *Nautilus* du capitaine Nemo. En 1897, il construit un submersible, l'*Argonaut*, capable de se poser et de se déplacer sur le fond à l'aide de deux grandes roues et d'une hélice. Pris au piège dans une violente tempête dans laquelle une centaine de voiliers coulent, l'engin résiste. Peu de temps après, l'ingénieur reçoit un télégramme de félicitations de Jules Verne en personne !

Y a quelqu'un ?

De nombreux travaux sont réalisés sous la mer. Poser et entretenir des canalisations, exploiter des mines, surveiller les zones de déchets, recueillir des mesures et des données, autant de tâches fastidieuses qui ne nécessitent pas obligatoirement la main de l'homme. Qu'à cela ne tienne ! Il existe effectivement des robots, soit totalement indépendants soit reliés par un câble à un bateau, capables d'effectuer ces opérations tout seuls !

Le 14 avril 1912, le paquebot de luxe le *Titanic* coule lors de sa traversée inaugurale. En 1985, l'épave mythique est retrouvée gisant à plus de 3 800 mètres. Ce n'est pas un souci pour le *Nautile*, un submersible de 8 mètres de long capable de loger trois personnes : pilote, copilote et observateur. Après une descente de quatre-vingt-dix minutes, il peut travailler huit heures sous la mer. Grâce aux bras articulés du *Nautile*, l'équipe remonta plus de mille huit cents objets de l'épave.

Histoires de sous-marins

Animal ou sous-marin ? De nos jours, le sous-marin de « Vingt Mille Lieues sous les mers » est tellement célèbre qu'on oublie que le « Nautilus », ou nautile, est avant tout le nom d'un vieil habitant des mers. Ce mollusque céphalopode peut se vanter d'exister depuis 300 millions d'années. La raison pour laquelle son nom a été utilisé est sûrement sa ressemblance avec le fonctionnement d'un sous-marin. Sa coquille en forme de spirale est divisée en compartiments par des cloisons qu'il peut remplir d'eau ou de gaz, exactement comme les ballasts d'un sous-marin.

Sous-marins nucléaires = danger

À la fin de la guerre froide, en 1989, l'Union soviétique possédait plus de deux cents sous-marins nucléaires, mais manquait de moyens pour les entretenir... À Mourmansk, les rives de la mer de Barents deviennent une gigantesque poubelle nucléaire. Lorsqu'ils arrivent en fin de vie, les sous-marins nucléaires doivent être démontés pour ôter toutes les matières dangereuses et éviter qu'elles ne causent des désastres écologiques ou ne soient pillées par des terroristes. C'est un processus long et coûteux : le montant estimé est de plusieurs milliards de dollars.

Plusieurs pays ont entrepris d'aider la Russie, dont le Japon, la Norvège et les États-Unis, mais il faudra encore des années avant que le dernier sous-marin nucléaire ne soit démantelé. En attendant, croisons les doigts pour qu'un accident ne se produise pas !

Après vous, je vous en prie !

Jules Verne a baptisé son sous-marin en souvenir de celui construit pour Napoléon Bonaparte par l'Américain Robert Fulton (ci-contre). Les Américains lui rendent la pareille en baptisant, en 1954, leur premier sous-marin nucléaire *Nautilus !* Cet hommage est rendu à Jules Verne pour sa vision prophétique : il avait imaginé en 1870 un submersible fonctionnant à l'électricité et ayant une autonomie quasiment illimitée, comme les sous-marins nucléaires !

Anecdotes

En panne

Impensable de tomber en panne au beau milieu de l'océan. Et pourtant, le matériel du sous-marin fonctionne vingt-quatre heures sur vingt-quatre, les pièces s'usent, cassent... Pour éviter la catastrophe, une seule solution, emporter des pièces de rechange. Sur un sous-marin nucléaire, on peut embarquer jusqu'à huit mille pièces de rechange. Il n'y a plus qu'à trouver des recoins pour ranger toutes les caisses !

Sous-marin nucléaire *Le Triomphant*

Les records

Vitesse, durée d'immersion, poids des sous-marins, tout doit en partie rester secret, mais voici, rien que pour toi, ce que nous avons réussi à savoir.

Le plus grand

Aucun sous-marin n'a jamais égalé le *Typhon* soviétique avec ses 170 mètres de long.

Le plus rapide

Encore un record soviétique. Le sous-marin nucléaire d'attaque de type *Alpha* dépasse 45 nœuds (soit 83,34 km/h) en plongée !

La plongée la plus longue

Les sous-marins nucléaires pourraient rester en plongée pendant dix ans, mais l'équipage, lui, serait mort de faim depuis longtemps, à moins de concevoir des pilules comme repas, facilement stockables en grande quantité ! Bon appétit !

La flotte la plus importante

Au XXe siècle, plus de 5 000 sous-marins ont été construits dont 1 700 unités allemandes, 1 100 russes et 644 américaines. Aujourd'hui, les pays qui se partagent les flottes les plus importantes sont les États-Unis, la Russie et la Chine.

Fabrique ton sous-marin

Tu veux comprendre comment un sous-marin plonge à des centaines de mètres sous la mer et effectue sa remontée ? Découvrir comment les sous-mariniers se procurent de l'eau douce ? Alors, enfile une blouse et vérifie que tu disposes de tout le matériel avant de commencer.

LE SOUS-MARIN

Matériel nécessaire

Une petite bouteille d'eau (50 centilitres), deux pailles, deux boîtes de pellicule vides, un couteau, du ruban adhésif, un poids.

Déroulement

Remplis ton évier aux trois quarts. Demande de l'aide pour percer les couvercles des boîtes de pellicule. Pince chaque paille pour les glisser dans les couvercles. À l'aide du ruban adhésif, attache chaque boîte sur un côté de la bouteille, à la même hauteur comme sur le dessin. Remplis la bouteille d'eau et place le poids à l'intérieur. Remplis les boîtes d'eau en mettant les pailles sous le jet du robinet. Mets ton sous-marin dans l'évier. Il doit couler. S'il ne coule pas, rajoute peu à peu du poids. Mets les deux extrémités des pailles dans ta bouche et souffle fort. Des bulles d'air doivent sortir des boîtes. Lâche les pailles et observe ton sous-marin, il remonte.

Explication

Un sous-marin dispose de grands réservoirs appelés des ballasts pour pouvoir naviguer sous l'eau. Pour faire descendre un sous-marin, il faut que son poids soit supérieur à la place qu'il occupe dans l'eau : on remplit les ballasts d'eau. Pour le faire remonter, il faut alléger son poids : on insuffle alors de l'air dans les ballasts ; élémentaire, non ?

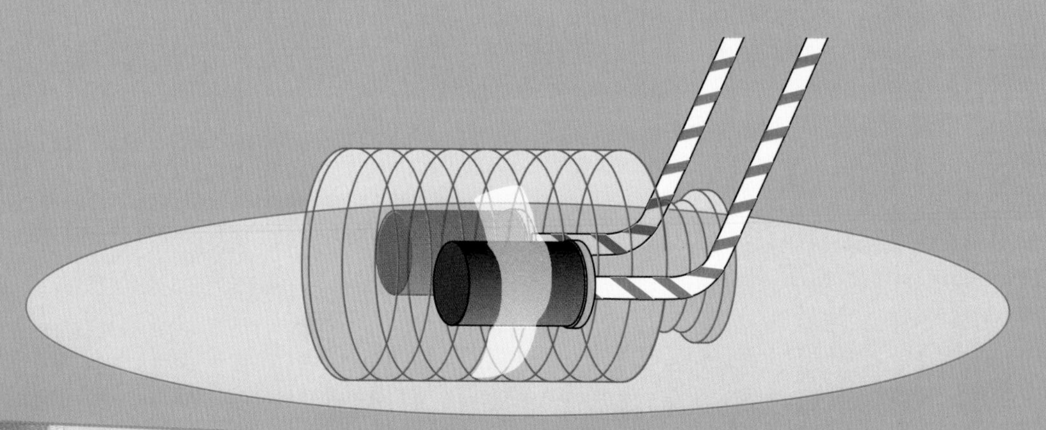

UNE USINE D'EAU DOUCE

Matériel nécessaire

Un verre, un saladier ou une casserole un peu plus haut que le verre, du film alimentaire, du sel, de l'eau chaude, des glaçons.

Déroulement

Remplis le fond de ton récipient (1 centimètre environ) d'eau très chaude. Ajoute 3 cuillerées à soupe de sel et mélange pour faire dissoudre le sel. Pose ton verre au milieu. Recouvre le récipient de film alimentaire et pose au milieu quatre ou cinq glaçons. Attention, le film alimentaire ne doit avoir aucun trou. Attends vingt bonnes minutes puis retire délicatement le film alimentaire en veillant à ce que l'eau des glaçons ne tombe pas dans le verre. Tu peux remarquer qu'il y a de l'eau dans ton verre. D'où vient-elle ? Plonge ton doigt dans le verre puis dans ta bouche. L'eau est-elle salée ?

Explication

L'eau chaude s'est évaporée. La vapeur, bloquée par le film alimentaire, ne s'est pas échappée. Au contact de la glace, elle s'est retransformée en gouttes d'eau qui sont tombées dans le verre. Cela ne te rappelle pas le cycle de l'eau dans la nature ? Évaporation-condensation-précipitation.

Dans un sous-marin, l'équipage a besoin d'eau pour se laver, boire, faire la vaisselle, laver les affaires, etc. De l'eau, oui, mais de l'eau douce, et le sous-marin est entouré d'eau de mer... Pas de problème, il suffit de la distiller ! Comme dans une casserole, l'eau de mer est chauffée et la vapeur qui s'échappe est récupérée. Elle ne contient plus de sel.

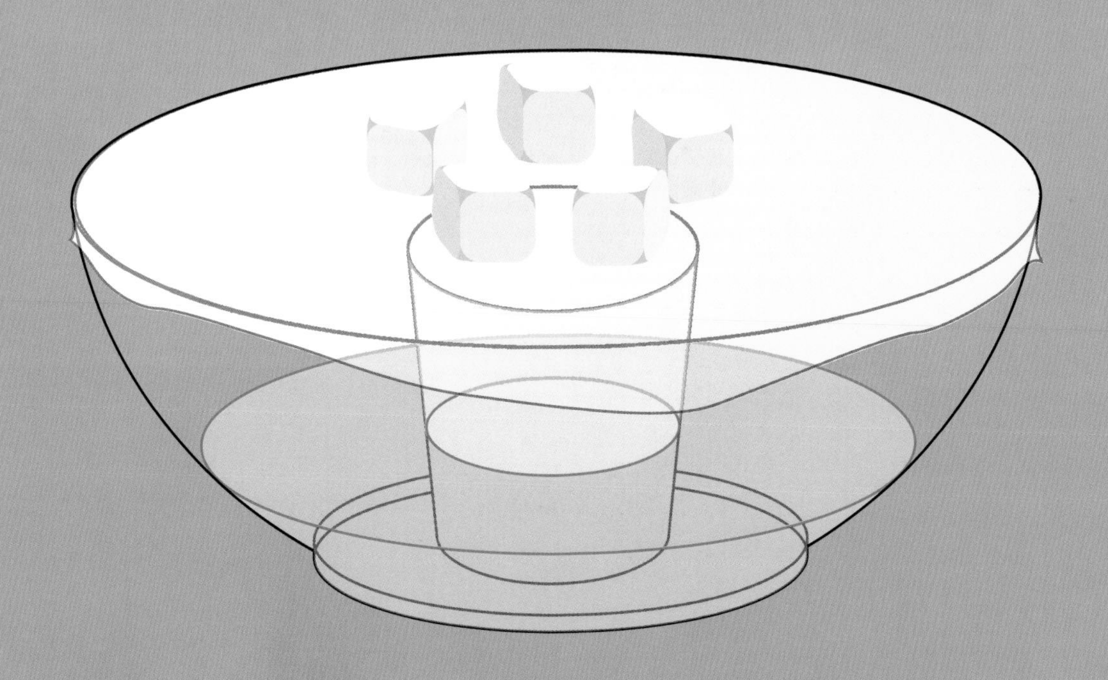

Sur la piste des sous-marins

Jeu no 1

Un seul de ces sous-marins ressemble à celui du grand dessin. Trouve lequel.

Jeux
Jeu no 3
Trouve au moins dix sujets dont le nom commence par la lettre E
Jeu no 2
Tous les poissons ont un point commun qui permet de les regrouper deux par deux sauf un. Lequel ?

Des images des fonds des mers

Obtenir des images sous-marines ne peut se faire avec un matériel ordinaire, ne serait-ce que parce qu'il faut le protéger de l'eau ! Tout devient plus compliqué : filmer, éclairer et espérer, lorsque c'est un documentaire, que les acteurs du film réaliseront sous vos yeux des choses intéressantes.

Cousteau le pionnier

En 1955, 2 millions de spectateurs découvrent des images stupéfiantes du monde sous-marin, des images en gros plan de poissons de toutes les couleurs qui nagent devant eux comme s'ils y étaient. Le film *Le Monde du silence* est réalisé par un cinéaste, Louis Malle, et un océanographe, Jacques-Yves Cousteau, « l'homme au bonnet rouge ». Ce passionné des fonds marins a inventé avec son équipe des techniques du documentaire sous-marin. C'est surtout un océanographe enthousiaste qui a sillonné les océans pendant quarante ans à bord de différents navires océanographiques et s'est battu pour préserver leurs richesses naturelles contre les pollutions et les pillages. Il a également dirigé trois expériences de maison sous la mer.

À vos appareils !

Alors que la photo sous-marine était réservée aux experts, depuis une dizaine d'années, tout le monde peut s'en donner à cœur joie et pour une somme modique. C'est la révolution des appareils jetables étanches qui permettent de prendre des images jusqu'à 3,5 m de profondeur ! La difficulté se trouve désormais ailleurs : essayer de rester immobile sous la mer pour ne pas obtenir des prises de vue floues... Finalement, les photos de poissons dans une baignoire, c'est pas mal non plus !

Des images extra-byssales

En février 2004 est sorti un film documentaire britannique époustouflant, *La Planète bleue*. Pour la première fois, le grand public rencontre les habitants des abysses : baudroie noire des abysses, grandgousier, diable de mer abyssal, poisson-ogre, poisson-dragon, calmar-vampire... La réalisation du film est une prouesse technique. Les réalisateurs ont dû commencer par négocier ferme pour pouvoir monter à bord de sous-marins scientifiques souvent réservés des années à l'avance, puis équiper les sous-marins d'un matériel vidéo approprié car les hublots, trop opaques, ne permettent pas d'obtenir de belles images. Il a enfin fallu ajouter des bras équipés de spots lumineux pour éclairer les scènes. En une vingtaine de plongées, ils réussissent à tirer le portrait de dizaines d'espèces jamais filmées.

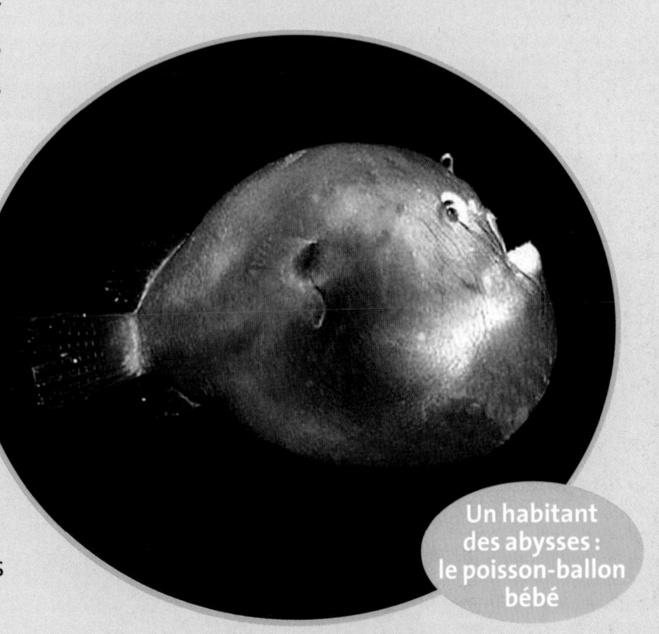

Un habitant des abysses : le poisson-ballon bébé

Et une caméra, une !

En 1997, James Cameron réalise un film, *Titanic,* retraçant de manière romancée le naufrage du célèbre paquebot qui coula en 1912 lors de sa première traversée. Pour reconstituer de manière fidèle l'intérieur du *Titanic,* il voulait pouvoir « visiter » les entrailles de l'épave. Car, à l'époque, aucune photo n'avait été prise du paquebot que tout le monde pensait insubmersible, on aurait bien le temps... Or, prendre des images à l'intérieur de l'épave qui gît à 3 800 mètres sous la mer nécessite une caméra qui puisse se glisser à l'intérieur, ainsi que des éclairages, mais aussi qui puisse résister à la pression et aux basses températures. De plus, James Cameron souhaite que son film débute avec des images de l'épave, il lui faut donc des images de qualité. Bon sang, mais c'est bien sûr, il suffit de concevoir une caméra ! Qu'à cela ne tienne, c'est ce dont se charge, durant trois ans, son frère, Michael.

James Cameron sur le tournage de *Titanic*

Jules
& les

Les monstres marins ont toujours peuplé l´imaginaire des hommes. Ce n´est qu´au fur et à mesure des explorations sous-marines que les derniers mythes disparaissent. En 1857, le zoologiste danois Johan Steenstrup décrit et nomme pour la première fois le spécimen de calmar géant le plus connu à ce jour: «Architheutis dux». Jules Verne peut cependant donner libre cours à son imagination pour mettre en scène ces géants marins. Effectivement, aujourd´hui encore, les calmars n´ont toujours pas été étudiés dans leur milieu naturel!

céphalopodes

Vingt Mille Lieues sous les mers

En 1861, l'équipage du navire français l'« Alecton » essaye de hisser à bord un calmar géant. Il n'arrive à conserver qu'un tentacule de 8 mètres de long. Jules Verne connaissait ce fait divers qui est même relaté dans son roman par le professeur Aronnax. C'est sûrement cette anecdote qui inspira la célèbre scène de la bataille des calmars géants contre le « Nautilus ».

« Je regardai à mon tour, et je ne pus réprimer un mouvement de répulsion. Devant mes yeux s'agitait un monstre horrible, digne de figurer dans les légendes tératologiques.

C'était un calmar de dimensions colossales, ayant huit mètres de longueur. Il marchait à reculons avec une extrême vélocité dans la direction du *Nautilus*. Il regardait de ses énormes yeux fixes à teintes glauques. Ses huit bras, ou plutôt ses huit pieds, implantés sur sa tête, qui ont valu à ces animaux le nom de céphalopodes, avaient un développement double de son corps et se tordaient comme la chevelure des Furies. On voyait distinctement les deux cent cinquante ventouses disposées sur la face interne des tentacules sous forme de capsules semi-sphériques. Parfois ces ventouses s'appliquaient sur la vitre du salon en y faisant le vide. La bouche de ce monstre – un bec de corne fait comme le bec d'un perroquet – s'ouvrait et se refermait verticalement. Sa langue, substance cornée, armée elle-même de plusieurs rangées de dents aiguës, sortait en frémissant de cette véritable cisaille. Quelle fantaisie de la nature ! Un bec d'oiseau à un mollusque ! Son corps, fusiforme et renflé dans sa partie moyenne, formait une masse charnue qui devait peser vingt à vingt-cinq mille kilogrammes. Sa couleur inconstante, changeant avec une extrême rapidité suivant l'irritation de l'animal, passait successivement du gris livide au brun rougeâtre. »

*

« Le *Nautilus* était alors revenu à la surface des flots. Un des marins, placé sur les derniers échelons, dévissait les boulons du panneau. Mais les écrous étaient à peine dégagés, que le panneau se releva avec une violence extrême, évidemment tiré par la ventouse d'un bras de poulpe.

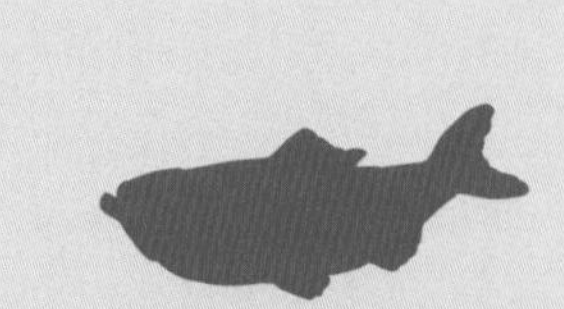

Aussitôt un de ces longs bras se glissa comme un serpent par l'ouverture, et vingt autres s'agitèrent au-dessus. D'un coup de hache, le capitaine Nemo coupa ce formidable tentacule, qui glissa sur les échelons en se tordant.

Au moment où nous nous pressions les uns sur les autres pour atteindre la plate-forme, deux autres bras, cinglant l'air, s'abattirent sur le marin placé devant le capitaine Nemo et l'enlevèrent avec une violence irrésistible. »

*

« Un instant, je crus que le malheureux, enlacé par le poulpe, serait arraché à sa puissante succion. Sept bras sur huit avaient été coupés. Un seul, brandissant la victime comme une plume, se tordait dans l'air. Mais au moment où le capitaine Nemo et son second se précipitaient sur lui, l'animal lança une colonne d'un liquide noirâtre, sécrété par une bourse située dans son abdomen. Nous en fûmes aveuglés. Quand ce nuage se fut dissipé, le calmar avait disparu, et avec lui mon infortuné compatriote !

Quelle rage nous poussa alors contre ces monstres ! On ne se possédait plus. Dix ou douze poulpes avaient envahi la plate-forme et les flancs du *Nautilus*. Nous roulions pêle-mêle au milieu de ces tronçons de serpents qui tressautaient sur la plate-forme dans des flots de sang et d'encre noire. Il semblait que ces visqueux tentacules renaissaient comme les têtes de l'hydre. Le harpon de Ned Land, à chaque coup, se plongeait dans les yeux glauques des calmars et les crevait. Mais mon audacieux compagnon fut soudain renversé par les tentacules d'un monstre qu'il n'avait pu éviter.

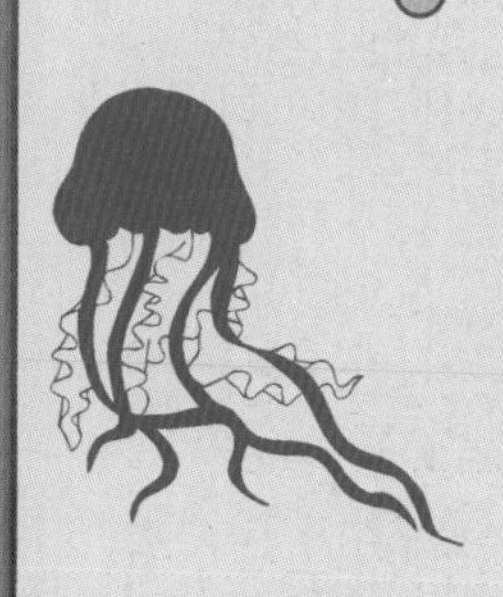

Ah ! comment mon cœur ne s'est-il pas brisé d'émotion et d'horreur ! Le formidable bec du calmar s'était ouvert sur Ned Land. Ce malheureux allait être coupé en deux. Je me précipitai à son secours. Mais le capitaine Nemo m'avait devancé. Sa hache disparut entre les deux énormes mandibules, et miraculeusement sauvé, le Canadien, se relevant, plongea son harpon tout entier jusqu'au triple cœur du poulpe. »

*

« Ce combat avait duré un quart d'heure. Les monstres vaincus, mutilés, frappés à mort, nous laissèrent enfin la place et disparurent sous les flots. »

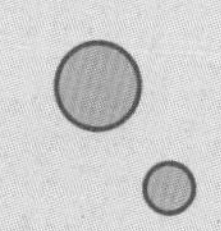

Des monstres méconnus

Les fonds sous-marins ainsi que leurs habitants ne passionnent guère les scientifiques durant des siècles ! Les plus grands spécialistes sont pendant longtemps les pêcheurs qui remontent dans leurs filets des poissons vivant à plus de 1 000 mètres de profondeur ou qui plongent à plus de 20 mètres pour ramasser des perles et des coquillages. Les navigateurs sondent également la mer, mais les informations qu'ils recueillent servent à la navigation.

Le philosophe grec Aristote

Les connaissances de l'époque

Dans l'Antiquité, le philosophe grec Aristote avait commencé à recenser les animaux marins, et ce n'est qu'au XVIe siècle que les naturalistes reprennent l'études des espèces. Au XVIIIe siècle, les premières mesures de température sont réalisées, montrant que celle-ci diminue avec la profondeur. Peu à peu, le mythe des océans sans fond s'évanouit. En revanche, la croyance en des zones abyssales inhabitées est encore tenace tant ce milieu semble hostile (pas de lumière, une pression élevée, des températures basses...), mais plus pour longtemps. La remontée, en 1861, d'un câble télégraphique, immergé au fond de la Méditerranée pendant plusieurs années, révèle la présence d'organismes à 2 000 mètres de profondeur. L'expédition la plus célèbre du XIXe siècle reste celle du *Challenger,* un navire anglais qui embarque en 1872 physiciens, biologistes et chimistes. Il parcourt 120 000 kilomètres durant quatre ans dans tous les océans, et des milliers de mesures et de prélèvements sont effectués.

Ce que l'on sait aujourd'hui

Ce qui n'était qu'un soupçon devient une certitude dans les années 1930 avec la descente de la première bathysphère à 923 mètres : la vie abyssale est possible. Dans les années 1950, le développement des bathyscaphes, qui peuvent explorer la totalité des fonds sous-marins, vient confirmer ces théories. C'est en 1960 que l'Américain Don Walsh et le Suisse Auguste Piccard atteignent, après cinq heures de descente, le point le plus bas des océans, là où la pression est équivalente au poids de cinquante avions supportés par une seule personne : 10 916 mètres, dans la fosse des Mariannes. Collés derrière la vitre de leurs hublots, ils aperçoivent un poisson ! Mais l'exploration des mondes sous-marins ne fait que commencer : il resterait à découvrir entre 1 million et 100 millions d'espèces...

Le robot de l'IFREMER Victor 6000, qui intervient jusqu'à 6000 mètres

William Beebe

Né en 1877, il devient assez vite un naturaliste de renom et rédige régulièrement des articles dans des revues réputées. En 1899, il obtient un poste au parc zoologique de New York et y restera vingt-deux ans. Mais son rêve est d'explorer les fonds abyssaux. En 1928, il rencontre un jeune (et fortuné) ingénieur qui a le même rêve que lui. Il s'appelle Otis Barton et commence à construire une bathysphère. En juin 1930, les deux hommes s'enferment, au péril de leur vie, dans une sphère de 1,45 m de diamètre suspendue à un câble. Et la descente commence. Ils accompliront ainsi trente-quatre plongées entre 1930 et 1934, date à laquelle ils atteindront la profondeur record de 923 mètres au large des îles des Bermudes. William Beebe profitera de ces expéditions pour décrire quelques spécimens de la faune abyssale sans jamais réussir à en remonter un.

Ten-ta-cu-lai-res !

Étudier la faune des abysses est un vrai cauchemar de scientifique ! Les spécimens pêchés en mer ne survivent pas à la différence de pression entre les fonds abyssaux et la surface, les bathyscaphes naviguent dans une obscurité totale et, s'ils allument leurs puissants phares, la faune, aveuglée, s'enfuit ! Faute de trouver pour l'instant une solution à ces problèmes, les scientifiques, pour étudier les habitants des abysses, ne peuvent compter quasiment que sur l'examen des animaux morts… et leur imagination !

Papa, j'ai faim !

Steve O'Shea, biologiste à l'Institut de recherche d'Auckland, traque sans relâche les calmars géants et a étudié plus d'une centaine de spécimens morts. Son rêve : comprendre comment ces animaux qui mesurent 10 millimètres à la naissance arrivent à atteindre 13 mètres de long et 300 kilos à l'âge adulte, en à peine trois ans. Mais pour cela, il faut capturer de jeunes calmars et les élever en aquarium ! La première expérience tourne court… faute d'expérience ! Puis il arrive à déterminer que les jeunes ont besoin d'un aquarium rond à une température spécifique, d'un certain type de nourriture, etc. Aujourd'hui, Steve est un scientifique heureux et un papa comblé : il a retrouvé, après des semaines de recherche, des bébés qui survivent depuis cent vingt jours en captivité.

Âgé de quatre semaines, l'*Architheutis* atteint 10 millimètres

Record battu

En 1925, des tentacules et un bec de calmar géant sont découverts dans l'estomac de cachalots, mais cela n'était pas suffisant pour permettre d'avoir une description précise de l'animal. En avril 2003, un navire de pêche néo-zélandais capture une jeune femelle dans les eaux de l'Antarctique, prouvant que le plus grand calmar géant n'est pas un *Architheutis dux* mais un *Mesonychotheutis,* ou calmar colossal. L'animal adulte pourrait peser 350 kilos et mesurer 13 mètres de long. Ce formidable chasseur peut scruter l'obscurité grâce à des yeux de 30 centimètres de diamètre, attraper ses proies à l'aide de ses deux tentacules (plus longs que les autres bras) pourvus de crocs et de ses bras munis de ventouses de 24 millimètres de diamètre puis enfin les dépecer avec son bec de 15 centimètres de long. Gare à l'attaque ! Ce n'est pas étonnant si les marins les ont toujours décrits comme des monstres !

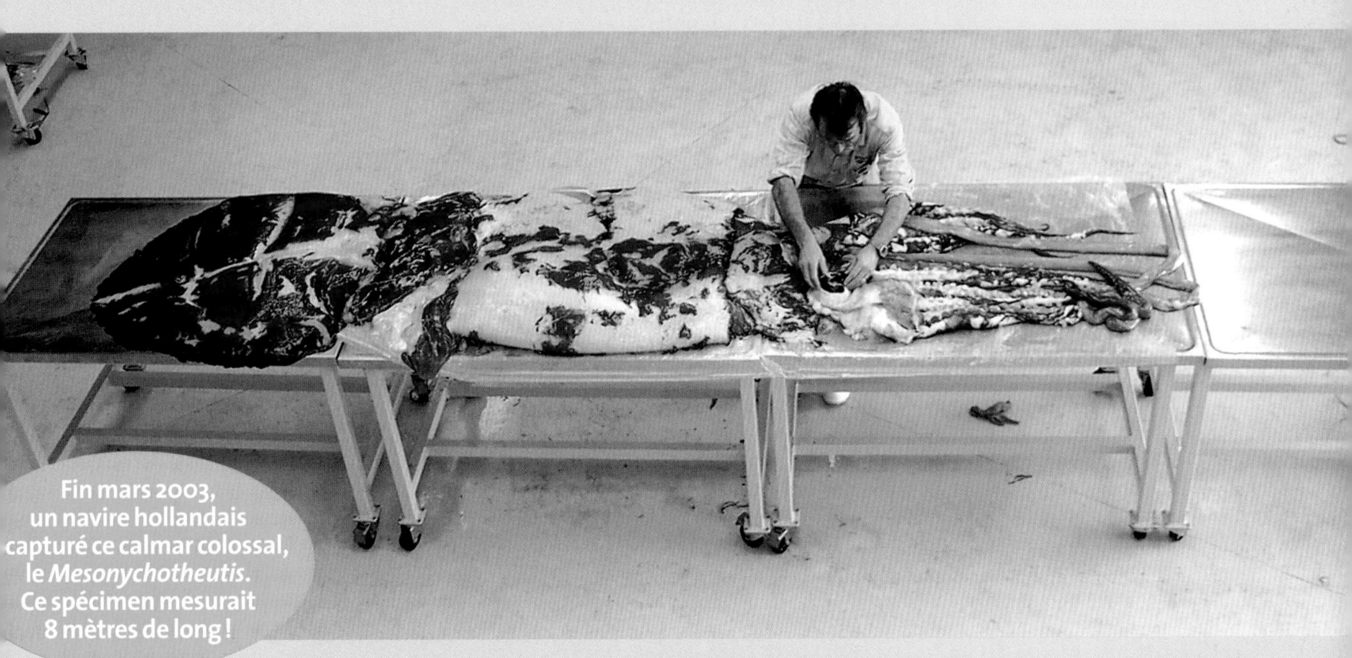

Fin mars 2003, un navire hollandais capturé ce calmar colossal, le *Mesonychotheutis*. Ce spécimen mesurait 8 mètres de long !

Un calmar contre un record du monde

En janvier 2003, l'équipage d'Olivier de Kersauson tente de battre le record du tour du monde à la voile et sans escale en moins de quatre-vingts jours, baptisé... le Trophée Jules-Verne en hommage à son roman Le *Tour du monde en quatre-vingts jours*. Dans la nuit du 12 au 13, le *Geronimo,* un trimaran de 23 tonnes, avance à la vitesse de 20 nœuds. Soudain, sans aucune raison technique apparente, le bateau ralentit et passe d'une vitesse de 20 à 10 nœuds. Aussitôt alerté, tout l'équipage recherche les causes de ce ralentissement jusqu'à ce que Didier Ragot aperçoive deux gigantesques tentacules rouge-orange... À n'en pas douter un beau spécimen d'*Architheutis dux* !

Comment le calmar fait-il pour avancer à reculons ?

Les calmars, comme les autres céphalopodes, sont capables de s'enfuir en nageant à reculons. Cette manière très particulière de se déplacer est unique chez les animaux. Pour comprendre comment eils peuvent faire, suis les instructions ci-dessous. Attention, ça mouille !

Portraits de famille

Le calmar n'est pas le seul de sa famille à pouvoir se déplacer ainsi. C'est aussi le cas des seiches et des pieuvres, aussi appelées poulpes. Cette famille porte bien son nom car céphalopode signifie « tête-pied ». Elle comprend les mollusques octopodes (huit pieds) comme la pieuvre ou décapodes (dix pieds) comme les calmars ou les seiches. Outre leur mode de déplacement, les céphalopodes ont en commun de changer de couleur pour se fondre dans le paysage, comme les caméléons, et de pouvoir envoyer de l'encre à leurs agresseurs. On en compte aujourd'hui plus de sept cents espèces différentes.

Pas si bêtes

Qui pourrait soupçonner ces mollusques d'intelligence ? Et pourtant... De nombreuses expériences ont prouvé que les céphalopodes avaient une capacité d'apprentissage et de mémorisation complexe et exceptionnelle. Des performances qui les rapprocheraient de certaines espèces d'oiseaux ou de mammifères.

LE CALMAR

Matériel nécessaire

Un ballon de baudruche, une baignoire remplie à moitié d'eau.

Déroulement

Accroche ton ballon à un robinet d'eau, puis remplis-le jusqu'à ce qu'il soit un peu plus gros qu'un pamplemousse. Garde bien une main en dessous pour qu'il ne tombe pas pendant le remplissage et ferme le robinet avant d'ôter le ballon. Pince bien l'embout entre ton pouce et ton index puis pose le ballon dans la baignoire, l'embout contre un des bords. Lâche l'embout mais garde toujours une main sur le ballon en appuyant un peu dessus afin d'éviter que l'eau qui sort du ballon n'asperge toute la salle de bains !

Explication

Il ne peut y avoir de démonstration plus claire ! L'eau qui est sortie du ballon l'a propulsé dans le sens opposé. C'est exactement de cette manière que les céphalopodes avancent. Ils ont une sorte de tuyau situé près de leur tête, que l'on appelle l'entonnoir. Lorsqu'ils veulent s'enfuir, ils contractent leurs muscles pour chasser l'eau contenue dans leur entonnoir, qui va, par réaction, les projeter dans le sens contraire. Selon qu'ils veulent avancer ou reculer, les céphalopodes orientent leur entonnoir vers l'avant ou vers l'arrière.

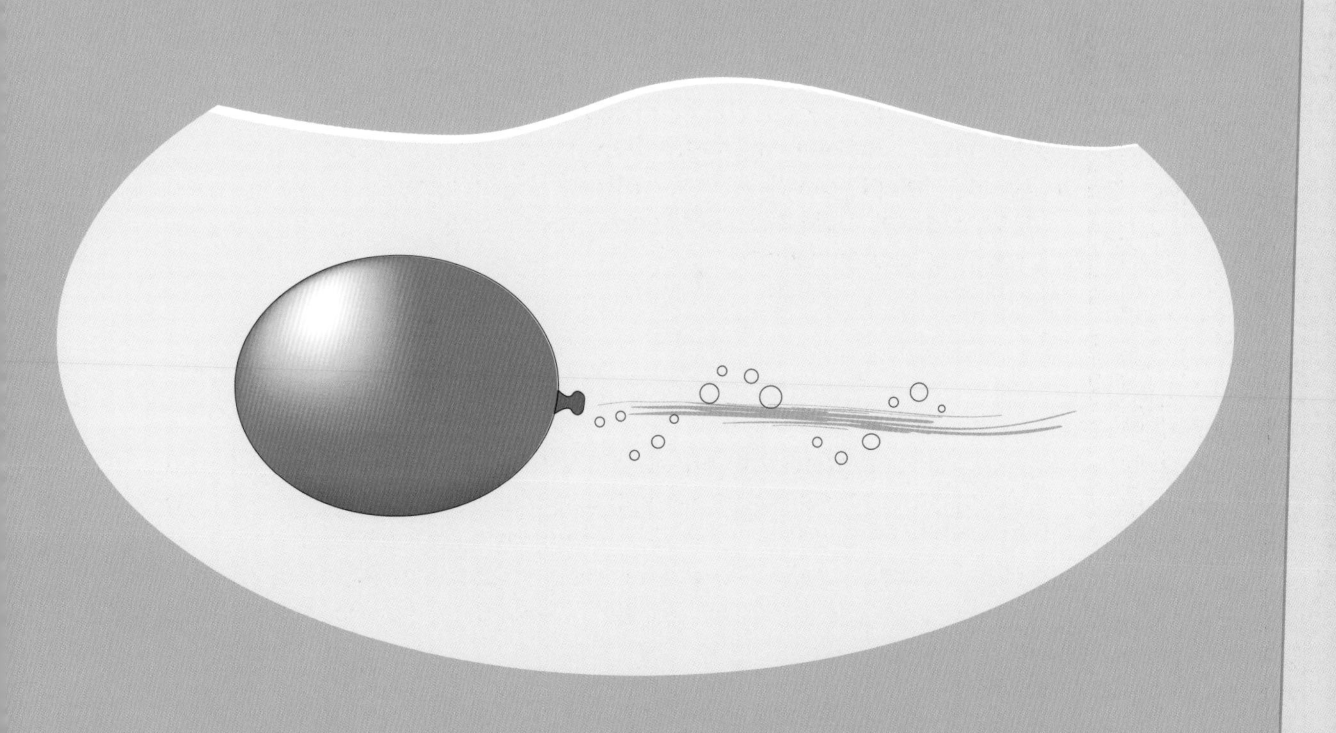

L'océan fait son cinéma

Même lorsqu'il ne s'agit pas d'un film fantastique, filmer sous la mer nécessite des techniques particulières, car tout le matériel ordinairement utilisé, caméras, éclairages, n'apprécie pas particulièrement le contact avec l'eau ! Voici quelques anecdotes sur des films aquatiques.

« Vingt Mille Lieues sous les mers »

Le cinéma s'est entiché de l'œuvre de Jules Verne : près de trente de ses livres ont été adaptés sur grand écran, dont certains plus de dix fois ! C'est le cas de *Vingt Mille Lieues sous les mers* ; le premier film date de 1905 et le dernier de 1969. Mais la version qui a marqué les mémoires est celle produite par Walt Disney. Tourné en 1954, ce film a nécessité pas moins de six mois de tournage, dont un mois et demi sous l'eau ! Premier film aquatique, ce voyage au fond des mers a utilisé les dernières techniques d'effets spéciaux. À quand une nouvelle adaptation !

« Abyss »

Dans *Abyss*, de James Cameron, une équipe de scientifiques et de militaires part récupérer un sous-marin nucléaire qui a mystérieusement coulé pour récupérer et désamorcer les ogives. Dans les abysses, ils se rendent compte que toute une culture extraterrestre s'est développée. James Cameron souhaitait, pour obtenir un rendu le plus réaliste possible, que son film semble entièrement réalisé sous l'eau (certaines techniques permettent de donner l'impression d'être sous l'eau en restant totalement au sec). Or, réaliser un film de fiction dans les fonds abyssaux aurait été compliqué techniquement et hors de prix ! La solution : tourner dans d'immenses réservoirs. L'équipe de production a trouvé d'anciennes cheminées nucléaires désaffectées et les a rempli avec 30 millions de litres d'eau ! Pour reproduire l'obscurité des abysses, des millions de boules de polystyrène noires ont été déposées à leur surface. Le film nécessita en tout dix-huit mois de travail et gagna un Oscar pour les meilleurs effets spéciaux.

« Les Dents de la mer »

En 1975 sort sur les écrans un film à suspense à dresser les cheveux sur la tête, *Les Dents de la mer*, réalisé par un jeune homme de vingt-neuf ans, Steven Spielberg. L'histoire se déroule dans une ville touristique de Floride dans laquelle les baigneurs sont attaqués par un requin. Trois hommes, le chef de la police, un expert en requins et un pêcheur, se lancent alors aux trousses du carnivore. Steven Spielberg ne voulait pas tourner dans un réservoir ou un lac et a dû se plier aux lois de l'océan : les vagues n'étaient pas les mêmes d'un jour à l'autre, la couleur de la mer non plus, rendant les scènes censées se dérouler le même jour « inraccordables ». De plus, le lieu du tournage avait été sélectionné en hiver... Or, l'été, la côte est remplie d'embarcations de toutes sortes, compliquant sérieusement les scènes de la bataille entre le requin et les hommes sur le bateau. (Imagine la famille faisant coucou en arrière-plan !) Et, comble de malheur, les maquettes du héros principal, le requin, surnommé Bruce, subissaient sans arrêt des avaries techniques, ce qui explique qu'on ne le voit que dans un tiers du film ! Budget dépassé, retard de planning, le film a malgré tout été un énorme succès, remportant 260 millions de dollars de recettes dans le monde.

La science-fiction aujourd'hui

Les connaissances actuelles sur les fonds sous-marins, leur faune et leur flore, même si elles sont encore bien loin d'être complètes, ne permettent pas aux auteurs de science-fiction d'imaginer des aventures fantastiques se déroulant au fond des océans. Sauf si l'histoire se déroule sur une autre planète.

« Le vaisseau spatial s'était immobilisé au-dessus d'Almoha pour larguer le Bluedeep *dans l'océan. »*

Dans *Sigrid et les mondes perdus, l'œil de la pieuvre,* cela fait maintenant dix ans que Sigrid et ses deux amis, Gus et David, sont enfermés dans un sous-marin qui navigue pour une mission secrète dans les océans empoisonnés de la planète Almoha. Quiconque tombe à l'eau se transforme en poisson pour toujours. Mais les officiers leur disent-ils la vérité à propos de leur mission ou des monstres marins qui les entourent, ou de bien d'autres choses encore ?

« Elle se rappelait encore l'émotion qui l'avait saisie lorsque, au terme de la traversée cosmique, le vaisseau spatial s'était immobilisé au-dessus d'Almoha pour larguer directement le Bluedeep *dans l'océan. Tous les marins avaient dû se sangler sur leur couchette afin de ne pas se retrouver projetés contre les cloisons. Une fois le compte à rebours égrené derrière la grille des haut-parleurs, la cale de la fusée s'était ouverte et le submersible avait plongé dans le vide, telle une énorme bombe. À cet instant, Sigrid avait cru vomir. Enfin, les parachutes s'étaient ouverts, ralentissant la course du vaisseau. Le sous-marin avait cessé de tomber comme une enclume jetée du haut des nuages pour se mettre à flotter mollement. Malgré*

ce ralentissement, l'impact de la pénétration dans l'eau avait été terrible, et Sigrid s'était cramponnée à son oreiller de caoutchouc-mousse, persuadée qu'ils allaient sombrer. Puis la voix du commandant avait résonné au long des coursives, annonçant que tout se passait bien et que chacun devait rejoindre son poste.

"J'ai 10 ans, avait pensé Sigrid pleine d'une jubilation qui l'étouffait un peu. J'ai 10 ans et je viens de me poser sur une planète inconnue, pour une mission secrète !" »

*

« Sigrid aurait aimé jeté un coup d'œil aux écrans de surveillance du poste de commandement car l'absence de hublot ne permettait pas de voir ce qui se passait au-dehors. Dépourvu d'ouvertures sur l'extérieur – si l'on faisait exception des tubes lance-torpilles et de l'écoutille de sortie du kiosque –, le Bluedeep *était aussi aveugle qu'étanche. Les seules images en provenance des profondeurs étaient retransmises par les caméras installées sur la coque, et personne à part les officiers n'avait le droit de les observer. L'équipage, s'il voulait se faire une idée des animaux peuplant les abîmes, devait se reporter aux habituels albums d'histoire naturelle s'empoussiérant sur les étagères de la bibliothèque. »*

*

« La mutation...la mutation était en train de s'effectuer à l'envers. Tiré de l'eau, le poisson redevenait homme. *Sigrid se passa la main sur le visage, éberluée. Jamais on ne lui avait dit que la métamorphose était réversible. Elle avait toujours cru le changement irrémédiable. Oui, c'est bien ce qu'avaient répété les officiers pendant dix ans... Or, elle avait sous les yeux la preuve du contraire. »*

Sigrid et les mondes perdus, l'œil de la pieuvre,
Serge Brussolo, Le livre de poche jeunesse, 2003.

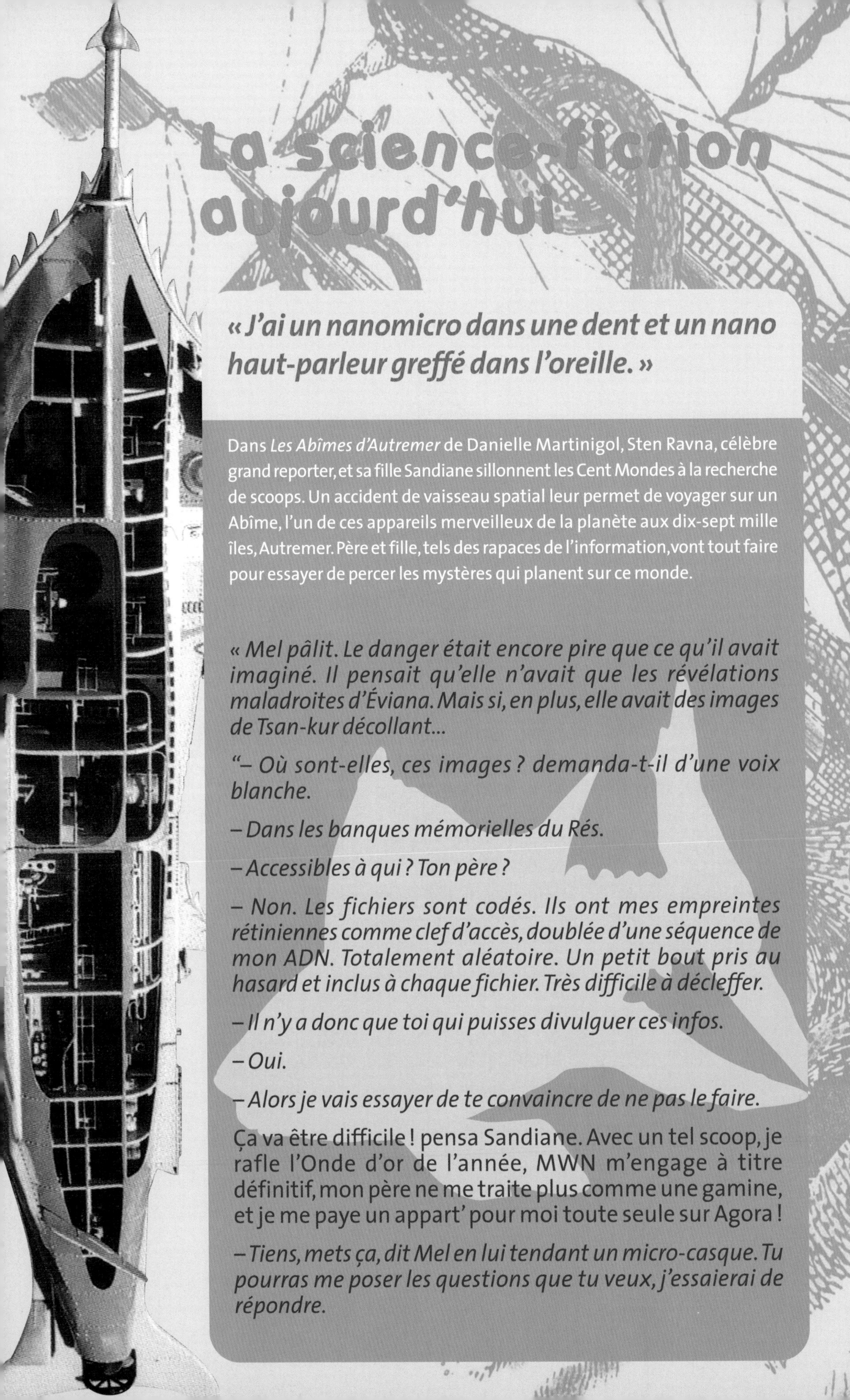

La science-fiction aujourd'hui

« J'ai un nanomicro dans une dent et un nano haut-parleur greffé dans l'oreille. »

Dans *Les Abîmes d'Autremer* de Danielle Martinigol, Sten Ravna, célèbre grand reporter, et sa fille Sandiane sillonnent les Cent Mondes à la recherche de scoops. Un accident de vaisseau spatial leur permet de voyager sur un Abîme, l'un de ces appareils merveilleux de la planète aux dix-sept mille îles, Autremer. Père et fille, tels des rapaces de l'information, vont tout faire pour essayer de percer les mystères qui planent sur ce monde.

« Mel pâlit. Le danger était encore pire que ce qu'il avait imaginé. Il pensait qu'elle n'avait que les révélations maladroites d'Éviana. Mais si, en plus, elle avait des images de Tsan-kur décollant...

"– Où sont-elles, ces images ? demanda-t-il d'une voix blanche.

– Dans les banques mémorielles du Rés.

– Accessibles à qui ? Ton père ?

– Non. Les fichiers sont codés. Ils ont mes empreintes rétiniennes comme clef d'accès, doublée d'une séquence de mon ADN. Totalement aléatoire. Un petit bout pris au hasard et inclus à chaque fichier. Très difficile à décleffer.

– Il n'y a donc que toi qui puisses divulguer ces infos.

– Oui.

– Alors je vais essayer de te convaincre de ne pas le faire.

Ça va être difficile ! pensa Sandiane. Avec un tel scoop, je rafle l'Onde d'or de l'année, MWN m'engage à titre définitif, mon père ne me traite plus comme une gamine, et je me paye un appart' pour moi toute seule sur Agora !

– Tiens, mets ça, dit Mel en lui tendant un micro-casque. Tu pourras me poser les questions que tu veux, j'essaierai de répondre.

– Tu n'en prends pas un ? demanda-t-elle, voyant qu'il s'apprêtait à partir.

– J'ai un nanomicro dans une dent et un nano haut-parleur greffé dans l'oreille."

Elle fut soufflée par sa réponse. Finalement, Autremer n'était pas aussi archaïque qu'on le disait dans l'Essaim. De telles nanotechnologies n'étaient encore qu'à l'état de prototypes dans les labos de recherche d'Agora. Elle avait hâte d'avoir ce genre de choses en sa possession pour ses reportages. Il faudrait qu'elle se renseigne auprès de Mel plus tard.

"– Tu as dit que Tsan-kur n'était pas encore un Abîme. Quand le deviendra-t-il ?

Mel avait disparu. La réponse vint par le casque.

– Je ne sais pas. Bientôt, sans doute. Il approche de sa métamorphose. Il va atteindre l'âge adulte. Il pourra alors staser.

– Je n'arrive pas à y croire, murmura Sandiane. Des animaux qui passent par l'hyperespace... C'est proprement fabuleux. Vous leur avez appris à le faire ?

– Non. Ils le font naturellement.

– Qui l'a découvert ?

– Un enfant. Tout à fait par hasard. Il était naufragé, seul en mer. Un Abîme s'est approché et a ouvert un pore.

– P - O - R - T ?

– Non, P - O - R - E... Ils peuvent ouvrir leur peau, enfin ce qui leur sert de peau, à n'importe quel endroit de leur corps. L'enfant est entré. L'Abîme l'a ramené près d'une ville. C'était il y a près de deux siècles. D'autres Autremeriens ont vécu la même expérience et, un jour, l'un d'eux est parti dans l'espace avec son Abîme. À partir de là, nous les avons adaptés en leur ajoutant des plaques extérieures pour qu'ils aient l'apparence de vaisseaux-machines." »

Les Abîmes d'Autremer,
Danielle Martinigol,
Autres mondes, Mango jeunesse, Le livre de poche jeunesse, 2001.

Comment s'appelle le sous-marin de Fulton ?

1/ Quels mollusques font partie de la famille des céphalopodes ?
a) Les seiches et les pieuvres
b) Les pieuvres et les cachalots
c) Les poulpes et les murènes

2/ Le poulpe est un synonyme donné en Méditerranée pour :
a) Le turbot
b) Le nautile
c) La pieuvre

3/ Comment s'appelle le sous-marin conçu par Robert Fulton ?
a) *Insubmersible*
b) *Poulpe*
c) *Nautilus*

4/ Comment appelle-t-on le tuyau qui permet aux céphalopodes de se déplacer ?
a) Le boyau
b) L'entonnoir
c) Le scoubidou

5/ Le calmar qui s'attaque à Ned Land dans *Vingt Mille Lieues sous les mers* s'appelle :
a) Moby Dick
b) Aronnax
c) Il n'a pas de nom

6/ Lequel n'est pas un calmar géant parmi les espèces ci-dessous :
a) *Archi Gigantix*
b) *Mesonychotheutis*
c) *Architheutis dux*

Quiz

7/ Le *Challenger*, navire anglais qui a exploré les mers en 1872, a parcouru :
a) 50 000 kilomètres
b) 120 000 kilomètres
c) 300 000 kilomètres

8/ Le sous-marin le plus long est le :
a) *Typhon* soviétique
b) *Nautilus* américain
c) *Titanic* belge

9/ Jules Verne publie *Vingt Mille Lieues sous les mers* en :
a) 1910
b) 1890
c) 1870

10/ En 1954, naît le premier :
a) Bathyscaphe
b) Sous-marin nucléaire
c) Submersible à piles

11/ Le schnorchel est :
a) Un gros tube installé sur les sous-marins pour aspirer de l'air à la surface
b) Le nom d'un animal marin qui vit dans la mer Caspienne
c) Un monstre célèbre dans les légendes nordiques

12/ Le film *Les Dents de la mer* de Steven Spielberg raconte :
a) L'histoire du premier dentiste des animaux aquatiques
b) L'histoire d'un requin qui terrorise les baigneurs
c) L'histoire d'un grand-père qui a perdu son dentier en nageant

13/ La fosse la plus profonde des océans s'appelle la fosse des Mariannes. Sa profondeur est de :
a) 3 147 mètres
b) 9 876 mètres
c) 10 916 mètres

14/ Jules Verne, pour remercier Simon Lake d'avoir bravé une tempête à bord de son submersible, lui envoie :
a) Un télégramme de félicitations
b) Une photo dédicacée
c) La collection complète de ses livres

15/ Une pieuvre est :
a) Décapode
b) Octopode
c) Quadropode

16/ Le *Koursk* est le nom :
a) D'un sous-marin de sauvetage
b) D'un célèbre inventeur suédois du XIXe siècle
c) D'un sous-marin russe qui a fait naufrage en 2 000

17/ Quel est le prénom du célèbre commandant Cousteau :
a) Jean-Paul
b) Jacques-Yves
c) Yves-Martin

Réponses : 1.a, 2.c, 3.c, 4.b, 5.c, 6.a, 7.b, 8.a, 9.c, 10.b, 11.a, 12.b, 13.c, 14.a, 15.a, 16.c, 17.b

Jules
& la
THEATRE de la PORTE St MARTIN

Partir explorer les sous-sols de la Terre, voilà un rêve de géologue! Oui, mais c'est tout simplement impossible! Pas pour Jules Verne qui, grâce à son imagination, emmène à plusieurs reprises ses héros dans les profondeurs de la Terre. Dans son roman souterrain le plus connu, «Voyage au centre de la Terre», il n'oublie pas, comme à son habitude, de nous faire partager son savoir scientifique ainsi que les débats parfois houleux qui divisent les savants. Alors, enfonçons-nous dans les entrailles de la Terre et partons sur les traces de Jules Verne et de ses héros à la découverte du monde souterrain et des vol-

Terre

Voyage au centre de la Terre

Axel est un jeune minéralogiste qui travaille avec son oncle, un extravagant géologue, le professeur Lidenbrock. Ce dernier déchiffre un manuscrit du XVIe siècle dans lequel un savant islandais affirme avoir découvert un passage menant au centre de la Terre… Nos deux scientifiques décident alors de tenter à leur tour cet incroyable voyage ! Accompagnés par Hans, l'intrépide guide, ils vivront des aventures qui les emporteront bien plus loin que ce qu'ils avaient imaginé. Mais des extraits du texte original valent mieux que les longs discours, bon voyage.

« Le cratère du Sneffels représentait un cône renversé dont l'orifice pouvait avoir une demi-lieue de diamètre. Sa profondeur, je l'estimais à deux mille pieds environ. Que l'on juge de l'état d'un pareil récipient, lorsqu'il s'emplissait de tonnerres et de flammes. Le fond de l'entonnoir ne devait pas mesurer plus de cinq cents pieds de tour, de telle sorte que ses pentes assez douces permettaient d'arriver facilement à sa partie inférieure. Involontairement, je comparais ce cratère à un énorme tromblon évasé, et la comparaison m'épouvantait. »

*

« Au fond du cratère s'ouvraient trois cheminées par lesquelles, au temps des éruptions du Sneffels, le foyer central chassait ses laves et ses vapeurs. Chacune de ces cheminées avait environ cent pieds de diamètre. Elles étaient là béantes sous nos pas. Je n'eus pas la force d'y plonger mes regards. Le professeur Lidenbrock, lui, avait fait un examen rapide de leur disposition ; il était haletant ; il courait de l'une à l'autre, gesticulant et lançant des paroles incompréhensibles. Hans et ses compagnons, assis sur des morceaux de lave, le regardaient faire ; ils le prenaient évidemment pour un fou. »

*

« Le véritable voyage commençait. Jusqu'alors les fatigues l'avaient emporté sur les difficultés ; maintenant celles-ci allaient véritablement naître sous nos pas.
Je n'avais point encore plongé mon regard dans ce puits inson-

dable où j'allais m'engouffrer. Le moment était venu. Je pouvais encore ou prendre mon parti de l'entreprise ou refuser de la tenter. Mais j'eus honte de reculer devant le chasseur. Hans acceptait si tranquillement l'aventure, avec une telle indifférence, une si parfaite insouciance de tout danger, que je rougis à l'idée d'être moins brave que lui. Seul, j'aurais entamé la série des grands arguments ; mais en présence du guide je me tus ; un de mes souvenirs s'envola vers ma jolie Virlandaise, et je m'approchai de la cheminée centrale. »

*

« Toute la difficulté de la route consistait à ne pas glisser trop rapidement sur une pente inclinée à quarante-cinq degrés environ ; heureusement certaines érosions, quelques boursouflures tenaient lieu de marches, et nous n'avions qu'à descendre en laissant filer nos bagages retenus par une longue corde. Mais ce qui se faisait marche sous nos pieds devenait stalactites sur les autres parois. La lave, poreuse en de certains endroits, présentait de petites ampoules arrondies : des cristaux de quartz opaque, ornés de limpides gouttes de verre et suspendus à la voûte comme des lustres, semblaient s'allumer à notre passage. On eût dit que les génies du gouffre illuminaient leur palais pour recevoir les hôtes de la terre. »

*

« À mesure que nous descendions, la succession des couches composant le terrain primitif apparaissait avec plus de netteté. La science géologique considère ce terrain primitif comme la base de l'écorce minérale, et elle a reconnu qu'il se compose de trois couches différentes, les schistes, les gneiss, les micaschistes, reposant sur cette roche inébranlable qu'on appelle le granit. Or, jamais minéralogistes ne s'étaient rencontrés dans des circonstances aussi merveilleuses pour étudier la nature sur place. Ce que la sonde, machine inintelligente et brutale, ne pouvait rapporter à la surface du globe de sa texture interne, nous allions l'étudier de nos yeux, le toucher de nos mains. »

De l'Islande au Stromboli

Carte

Eurêka !

Chez un bouquiniste de Hambourg, le professeur Lidenbrock déniche le manuscrit d'un savant islandais. Après des heures d'effort, il en déchiffre le code.

Stromboli

Après de nombreuses découvertes au cœur de la Terre, les trois héros remontent vers la surface. Et c'est en surfant sur la lave du volcan sicilien le Stromboli qu'ils réapparaissent à l'air libre.

Les inventions de Jules

Jules Verne avait l'habitude de se documenter sur les connaissances scientifiques de son époque. Les théories géologiques et minéralogiques ne lui permettaient cependant pas d'envisager un voyage au centre de la Terre. Il a donc pris soin de ne sélectionner que les hypothèses allant dans son sens... Même si elles étaient fausses !

Siméon Denis Poisson

« Eh bien, je te dirai que de véritables savants, Poisson entre autres, ont prouvé que, si une chaleur de deux cent mille degrés existait à l'intérieur du globe, les gaz incandescents provenant des matières fondues acquerraient une élasticité telle que l'écorce terrestre ne pourrait y résister et éclaterait comme les parois d'une chaudière sous l'effort de la vapeur.

– C'est l'avis de Poisson, mon oncle, voilà tout. »

Pour le plus grand plaisir de Jules Verne, Siméon Denis Poisson n'était pas d'accord avec les scientifiques qui supposaient que la Terre était une boule de feu qui s'était lentement refroidie. Mais c'était aussi un brillant mathématicien et physicien français. Il a mis au point des lois fondamentales en mathématiques, étudié les mouvements planétaires, développé des travaux sur l'électricité et le magnétisme...

Le Vésuve (Italie)

Les connaissances de l'époque

De nombreuses théories farfelues furent élaborées au cours des siècles pour percer les mystères de l'origine des volcans : feux souterrains, vents violents, fleuves...
Au XIXe siècle, la plupart des scientifiques s'accordèrent sur le fait que la Terre devait être une boule de feu qui s'était lentement refroidie en se ridant comme une pomme au four. Cette théorie, dite « théorie de la pomme cuite », a eu cours jusque dans les années 1960, avant que l'hypothèse des plaques tectoniques ne la remplace.

Ce que l'on sait aujourd'hui

Aujourd'hui, l'homme n'est toujours pas descendu dans les entrailles de la Terre pour en vérifier sa composition... Les forages les plus profonds atteignent « seulement » 12 kilomètres car les températures et les pressions élevées empêchent des expéditions plus lointaines. Les scientifiques connaissent néanmoins mieux les volcans : comment ils se forment, quels sont les minerais et les gaz qui s'en échappent, quels sont les différents types de volcanismes, etc. De même, la composition de la Terre et la dérive des continents est expliquée. Mais la vulcanologie est une science jeune, et bien des secrets restent à découvrir. On ne sait toujours pas pourquoi un volcan se réveille après des siècles ou s'endort pour des siècles, et la prévision d'une éruption à long terme n'est pas encore possible.

Le Stromboli (Italie)

Comment ça marche ?

Pour comprendre comment fonctionne un volcan, il faut emprunter une machine à remonter le temps et la programmer aux origines de la Terre. À cette époque, notre planète à peine formée est une boule de magma bouillante. Elle met des millions d'années à se refroidir. La surface une fois refroidie forme la croûte terrestre. Celle-ci mesure aujourd'hui à peine 30 kilomètres au-dessus des continents, 10 au-dessus des océans. Dès que l'on descend dans les entrailles de la Terre, ça chauffe !

Le ventre de la Terre

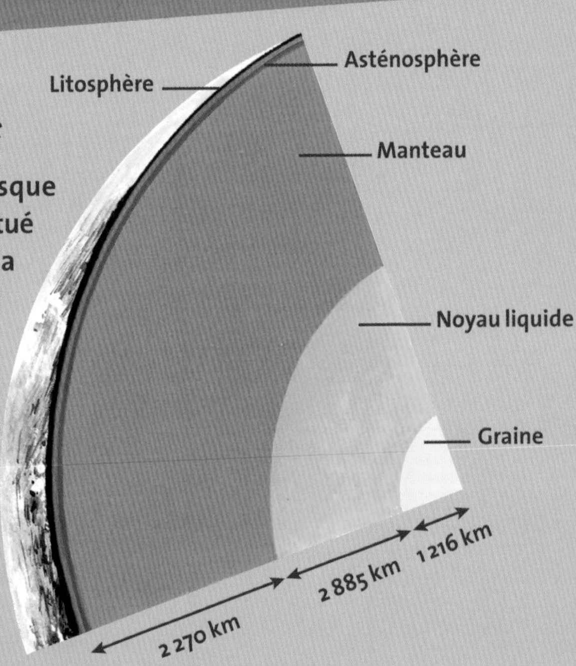

La Terre est comme une gigantesque pêche. En son centre, un noyau constitué d'un métal pur, le fer. Sous l'effet de la pression, il est solide en son centre et redevient liquide à la périphérie. La température est de 5 500 °C à 7 500 °C. Autour du noyau, le manteau de la Terre est un mélange de roches solides et liquides. Ce manteau tient encore bien chaud : de 1500 °C à 4 000 °C ! Vient ensuite la peau de la pêche, la croûte terrestre.

Un puzzle géant !

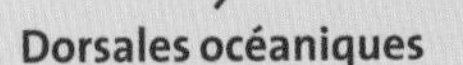

Observe attentivement le continent américain et le continent africain. Plie légèrement la page et rapproche-les. Tu ne trouves pas cela bizarre, on dirait qu'ils s'emboîtent l'un dans l'autre. C'est normal, il y a 135 millions d'années, ces deux continents ne faisaient qu'un !

COMMENT SE FORMENT LES VOLCANS ?

Les roches solides et liquides qui composent le manteau de la Terre sont en perpétuel mouvement et fendent la croûte en plusieurs morceaux appelés « plaques tectoniques ». Sous l'action de ces roches mouvantes, les plaques glissent, s'écartent, se chevauchent, créant des éruptions volcaniques mais aussi des chaînes de montagnes et des tremblements de terre. Ce sont elles qui composent le visage de la Terre. Trois grands scénarios sont alors possibles.

1 Une tentative de subduction

Lorsqu'une plaque lourde rencontre une plaque légère, la première plonge sous la seconde. Ce phénomène s'appelle la subduction. Quand la plaque s'enfonce, elle emporte avec elle des roches qui contiennent de l'eau. L'eau baisse la température du magma qui remonte alors, créant des éruptions volcaniques explosives. Et si le rendez-vous est sous-marin, cela crée des îles volcaniques en série, autrement dit des arcs insulaires.

2 Des bulles qui s'évadent du manteau

Les mouvements des plaques tectoniques ne sont pas tous responsables de la naissance des volcans. Parfois, des bulles de magma s'échappent du manteau et percent la croûte terrestre : c'est le volcanisme dit de « points chauds ». Le point chaud ne bouge jamais, contrairement aux plaques. Ainsi, si un volcan décide de prendre des vacances millénaires, la nouvelle bulle de magma fabriquera un deuxième cratère, un troisième, un quatrième... L'île d'Hawaii est ainsi le volcan le plus récent d'une longue guirlande. Trois de ses cratères sont déjà endormis et rejoindront bientôt leurs amis sous-marins, le quatrième, le Mauna Loa, est toujours en activité, Sous la mer, plus à l'est, le Loihi pointe déjà le bout de son nez. Patience, plus que quelques milliers d'années à attendre !

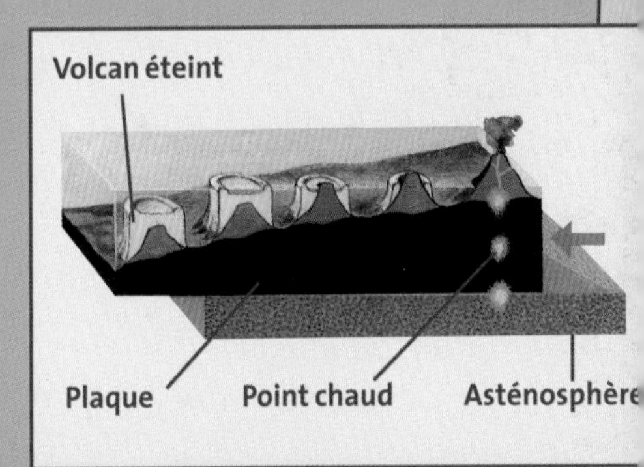

3 Record battu !

Une déchirure apparaît lorsque deux plaques s'écartent. Le magma remonte alors à travers les fissures, dégouline de part et d'autre et se solidifie. Tous les océans sont ainsi parcourus par des dorsales. Seules deux zones émergent à la surface de l'océan : l'Islande et l'Afar, dans l'Est africain. Ces chaînes de montagnes sont les plus longues du monde, elles mesurent 65 000 kilomètres !

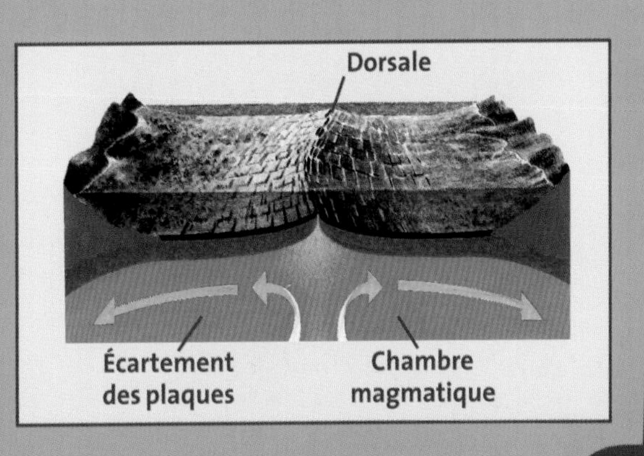

Vulcanologie

Pour étudier la composition des roches présentes dans le sous-sol de la Terre, les vulcanologues ne peuvent pas aller les chercher sans se brûler les doigts ou faire fondre leurs appareils ! Alors, ils se basent sur des roches extraterrestres, car toutes les planètes du système solaire ont été créées en même temps. Et comme aucun petit homme vert ne leur apporte des échantillons, ils étudient les météorites tombées sur la Terre.

Éruption du Vésuve (Italie)

Allô, la Terre ?

Les ondes sismiques sont des vibrations qui se propagent à travers la Terre dans des directions différentes lorsqu'un tremblement de terre se produit. Grâce à des sismomètres, les savants mesurent ces ondes qui leur apportent de précieux renseignements sur la composition de la Terre. Selon leur vitesse, ils savent si elles traversent le noyau ou le manteau de la Terre. C'est ainsi qu'ils ont pu déterminer exactement la profondeur de chacune de ces parties.

Un autre appareil, le géodimètre, a un fonctionnement similaire à celui du sismomètre. Il enregistre la vitesse des allers-retours effectués par des ondes. Le moindre changement entre deux mesures indique que le volcan se déforme à cause de la montée du magma... Sauve qui peut ! Bien d'autres appareils permettent d'étudier les volcans, comme le thermocouple, un cousin du thermomètre, qui mesure la température de la lave !

De sacrés observateurs !

Jean-Étienne Guettard est l'auteur de la première carte géologique de la France. Cet amoureux de la nature n'accepte que les conclusions fondées sur ses propres observations. En 1751, il visite le Massif central et reste abasourdi devant les pierres composant les maisons des villages. Ayant observé des échantillons de roches du Vésuve et de l'Etna, il reconnaît des morceaux de lave. Étrange aussi, le nom de ce village : Volvic. En latin, *volcani viscus* signifie « village volcanique »... Des recherches approfondies l'amène à la conclusion suivante : les tranquilles monts d'Auvergne sont une ancienne chaîne d'une centaine de petits volcans ! Ses découvertes se sont vérifiées. Grâce aux techniques actuelles, on en sait un peu plus aujourd'hui : ils sont nés il y a un peu plus de dix mille ans, la dernière éruption en Auvergne remonte à plus de sept mille ans, et un réveil explosif est toujours possible...

Éruption de la montagne Pelée (Martinique)

En 1902, la montagne Pelée, à la Martinique, se réveille et détruit sur son passage la ville de Saint-Pierre, tuant presque tous ses habitants. Cette éruption frappe le monde entier. L'Académie des sciences et le ministère des Colonies chargent Alfred Lacroix, un minéralogiste renommé, de découvrir les raisons du drame. Il passe un mois et demi sur les lieux puis retourne en métropole. Quinze jours seulement après son retour, une nouvelle éruption se produit. Il refait alors ses bagages et séjournera cette fois-ci à la Martinique pendant un an. Ses observations pertinentes l'amènent à des conclusions différentes de ses collègues. Il démontre que la lave s'est solidifiée en chemin, formant un dôme bouchant la cheminée. Le bouchon de la bouteille ainsi refermée a ensuite explosé sous la pression des gaz et de la vapeur d'eau. Ses ouvrages sur l'éruption de la montagne Pelée lui ont apporté la célébrité, et il a continué à voyager à travers le monde pour étudier les volcans.

Histoires de volcans

Ils crachent, éructent, pètent ou explosent, mais ces violents malotrus n'empêchent pas les hommes de venir s'installer par millions à leurs côtés. Et pour cause, leurs flancs sont composés d'une terre extrêmement fertile, de minerais précieux et fournissent parfois des sources d'eau chaude. C'est ainsi 500 millions de personnes qui sont exposées aux dangers des volcans !
Un exemple ? En Indonésie, 30 millions de personnes vivent dans les zones volcaniques de l'archipel qui totalise cent vingt-neuf volcans ! Vingt kilomètres à peine séparent les habitants des volcans Merapi qui ont connu plus d'une vingtaine de grosses éruptions au siècle dernier...

Les mythes et légendes

Comment expliquer les terrifiantes éruptions volcaniques ? Un peu partout dans le monde, les hommes ont trouvé une explication : dieux, déesses ou démons vivent dans les profondeurs de la Terre et, lorsqu'ils sont en colère, ils crachent du feu ... Heureusement, prières, offrandes et même parfois sacrifices humains permettent d'apaiser les divinités et surtout de calmer les esprits des hommes ! Aujourd'hui, de nombreuses processions sont encore organisées. Des centaines de personnes grimpent au sommet des volcans et prient ou font des offrandes.

Par exemple, les Indiens du Wyoming sont persuadés que la tour du Diable s'est élevée brutalement pour venir au secours de sept petites filles poursuivies par un ours. Les flancs du piton garderaient les traces des griffes de l'ours mal léché. En réalité, ce relief est dû à une remontée de magma qui, en se refroidissant, a laissé apparaître des fissures...
À Hawaii, la déesse Pélé, chassée par sa sœur de Tahiti, est venue s'installer dans le cratère du Kilauea. Ses habitants redoutent ses terribles colères. Quand elle frappe le sol de son pied, la terre tremble et le volcan crache du feu !

La tour du Diable (États-Unis)

Malin comme un singe

Il y a 5 à 8 millions d'années, la Terre était peuplée par les mammifères. En Afrique de l'Est, deux plaques tectoniques se sont écartées, laissant la place au magma : c'est la naissance du rift africain. Cet épisode volcanique bouleverse le climat. À l'ouest, les nuages butent sur la dorsale. Ils s'accumulent et déversent des flots de pluie, donnant naissance à des forêts denses et luxuriantes. À l'est, la région, privée des pluies, s'assèche et devient une savane aride. À l'ouest, les grands singes s'en donnent à cœur joie et sautent d'une branche à l'autre. À l'est, privés d'arbres, ils doivent se redresser pour guetter leurs prédateurs par-dessus les hautes herbes... Peu à peu, ils vont apprendre à se servir de leurs mains et de leur cerveau. L'australopithèque, l'ancêtre de l'homme, est né...

Une aide précieuse

Améthystes, rubis, saphirs et même diamants sont, à l'origine, de simples roches. Sous l'action de la chaleur ou de la pression, elles se font une beauté pendant des millions d'années avant de devenir de merveilleuses pierres précieuses. Et les volcans sont d'une aide inestimable ! Les diamants remontent à la surface grâce aux éruptions, l'améthyste ou l'agate se créent dans les roches volcaniques, le jade naît lorsqu'une plaque tectonique glisse sous une autre...

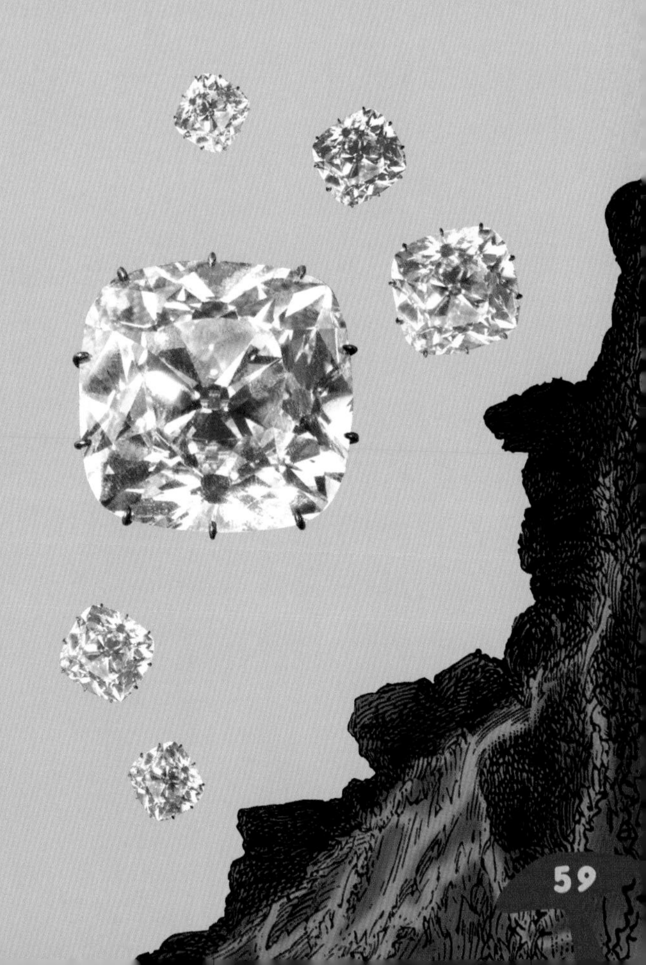

Fabrique ton volcan

Pour comprendre comment fonctionnent les volcans, rien de tel que l'expérimentation. Alors, relève tes manches et préviens tes parents que la cuisine est désormais un laboratoire scientifique !

LE VOLCAN

Matériel nécessaire

Une grande planche en bois, un petit verre, 5 cl de vinaigre, une cuillerée à soupe de bicarbonate de soude, 400 g de farine, 20 cl d'eau, un saladier, du colorant alimentaire rouge.

Déroulement

Dans le saladier, verse la farine et l'eau. Mélange bien jusqu'à obtenir une boule de pâte. Si elle est trop collante, rajoute de la farine. Place le verre au milieu de la planche en bois. Remplis le verre de vinaigre et rajoute quelques gouttes de colorant. Sculpte la pâte pour faire un cône renversé autour du verre. On ne doit pas en voir les bords. Place le tout sur l'évier. Appelle tes amis, tes parents et fais-leur une belle démonstration d'éruption volcanique en rajoutant la cuillerée de bicarbonate de soude dans le verre.

Astuces

Tu peux remplacer le colorant par de la peinture rouge. Si tu as le temps, attends que la pâte sèche autour du verre et peins-la en marron ou en noir. Tu peux poser au pied de ton volcan maisons, personnages, voitures...

Explication

Les volcans n'ont pas tous le même caractère. Certains sont doux comme des agneaux et d'autres sont de grands coléreux. Le responsable de ces différences est le magma. Lorsqu'il est fluide, il peut sortir du cratère et couler le long de pentes douces. Lorsqu'il est épais, les gaz emprisonnés font exploser les cloisons et provoquent des éruptions fulgurantes. Tu as fabriqué dans cette expérience un volcan coléreux.

Bon à savoir

Les savants essayent de prévoir les éruptions volcaniques, mais ça ne marche pas à tous les coups ! Et, parfois, un volcan peut changer de caractère et devenir furieux. Même si les hommes ont appris à détourner les coulées de lave en formant des barrages, il vaut mieux éviter d'habiter dans ces zones à hauts risques.

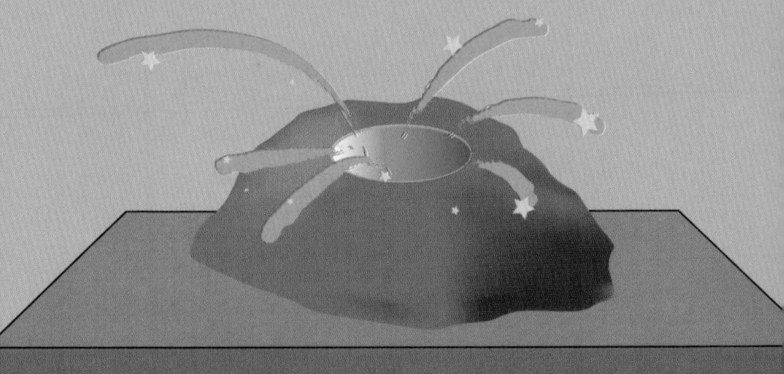

UNE ÉRUPTION SOUS-MARINE

Tu as sûrement remarqué en prenant ton bain que l'eau chaude ne se mélangeait pas spontanément à l'eau froide. De même, lorsque tu te baignes dans la mer, l'eau est plus chaude à la surface qu'en profondeur.
Pour comprendre ce phénomène, suis les instructions ci-dessous.

Matériel nécessaire

une boîte vide de pellicule photo, un compas, du colorant alimentaire rouge, un grand verre mesureur transparent, des glaçons.

Déroulement

Remplis le verre mesureur d'eau froide. Rajoute les glaçons. Demande à tes parents de faire deux trous espacés d'un centimètre environ sur le couvercle de la boîte de pellicule photo à l'aide du compas. Quand les glaçons ont fondu, remplis la boîte jusqu'au bord d'eau très froide et rajoute quelques gouttes de colorant alimentaire. Maintiens-la au fond à l'aide d'une fourchette et appuie dessus pour faire sortir les dernières bulles d'air. Il ne se passe rien ? C'est normal ! Recommence en rajoutant cette fois-ci de l'eau très chaude dans la boîte et ouvre grands tes yeux.

Explication

Si tu mets dans un verre de l'huile et du vinaigre, ils ne se mélangeront pas car ils n'ont pas la même densité, tout comme l'eau chaude et l'eau froide. L'eau chaude pèse moins lourd et a tendance à remonter à la surface. Pour les roches, c'est pareil. Lorsque des roches brûlantes du noyau remontent vers les roches du manteau, elles essayent de s'échapper en remontant à la surface, et c'est l'éruption volcanique.

Jeu no 1
Aide Melissa à quitter les flancs du volcan sans se brûler.
1
2
3
4
5
▲□'✚, ✻✖❀ ◆▲●❋✖■ ✧◆○ ✧✦◆●▼ !
Ne t'inquiéte pas, tu n'en auras bientôt plus besoin...
A B
□ ✻

Sur la piste des volcans

Jeu n° 2

Lis bien les indices pour retrouver la maison de Paulo : ma maison n'a pas de toit bleu. L'une de ses voisines a une porte arrondie, l'autre une porte rectangulaire. L'un des volets est recouvert de lierre.

Jeu n° 3

Remplace les signes par des ttres grâce au code ci-dessous, uis remets les phrases à l'en-droit ou place-toi devant un miroir pour les lire.

I J L M O S T U Z

Des images souterraines

Filmer, photographier est une activité qui peut devenir parfois très dangereuse ! C'est le cas des grands reporters qui prennent des images au péril de leur vie dans des pays en guerre, mais c'est aussi le cas des passionnés de volcans. Car personne n'est à l'abri d'une mauvaise surprise ! De plus, il faut souvent résoudre des problèmes techniques liés à ce genre de prises de vues très spéciales.

Photographier les volcans

Maurice et Katia Krafft, passionnés par les volcans, ont parcouru le monde entier pour les étudier, les photographier, les filmer. Ils ont assisté à plus de cent quarante éruptions, publié une vingtaine de livres et réalisé six films. Leurs films ont été utilisés pour réaliser une cassette vidéo sur les risques volcaniques. Diffusée auprès des 200 000 personnes vivant au pied du Pinatubo, elle a permis de les convaincre d'abandonner à temps leurs maisons lors de son éruption en 1991. Ces deux vulcanologues ont payé cher leur passion pour les volcans. Ils sont morts en 1991 lors de l'éruption du mont Unzen, au Japon.

Katia Krafft

Haroun Tazieff

Filmer les volcans

Le grand public découvre véritablement les volcans en éruption grâce à Haroun Tazieff. Son premier documentaire, *Les Rendez-vous du diable*, a marqué en 1958 des milliers de téléspectateurs et a suscité de nombreuses vocations ! C'était un géologue et un vulcanologue très réputé en France et dans le monde. Sa réputation était fondée, et il n'a, par exemple, jamais hésité à se tourner vers d'autres domaines scientifiques que les siens pour faire avancer ses recherches. Il fut secrétaire d'État auprès du Premier ministre en France, chargé de la prévention des risques majeurs. Il a réalisé une dizaine de documentaires sur les volcans.

Attention, vous êtes filmés

De nombreux volcans en activité ou susceptibles de connaître une nouvelle activité sont épiés sans répit. Des caméras postées à différents endroits prennent des vues du volcan et les envoient à un observatoire. Si une éruption survient, les vulcanologues n'auront pas besoin de se déplacer pour savoir précisément d'où viennent les laves, de quel(s) côté(s) elles se dirigent, à quelle vitesse, etc. Des informations vitales quand il y a des populations à proximité ! Tu rêves de pouvoir observer les volcans en direct ? Pas de problème, sur Internet, on peut accéder aux images prises en direct de plus d'une cinquantaine de volcans !

Le noir est vaincu !

Descendre au fond des volcans est irréalisable, mais explorer les grottes souterraines reste tout à fait raisonnable, pour le plus grand bonheur des spéléologues. Eux aussi rencontrent des problèmes pour prendre des images souterraines car il fait nuit noire et les prises électriques ne couvrent pas les murs des grottes ! L'un des moyens utilisés est d'émettre des éclairs grâce à des flashs surpuissants ou à des ampoules spéciales. Et qui a été l'un des premiers à mettre au point un procédé d'éclairage artificiel ? Félix Tournachon, alias Nadar, un photographe célèbre et... ami de Jules Verne ! Grâce à ce nouveau procédé, Nadar se lance dans la photo souterraine et commence ses expérimentations dans les catacombes parisiennes.

Autoportrait de Nadar, première photo à la lumière électrique (1861)

Jules
& les
THEATRE de la PORTE St MARTI

Le XIXe siècle est une période d'effervescence scientifique. Les études sérieuses sur les dinosaures et autres animaux préhistoriques commencent peu à peu, lançant une incroyable chasse aux fossiles. Imaginer que des survivants de ces animaux hors du commun puissent rencontrer des hommes est un thème que Jules Verne ne pouvait pas manquer de mettre en scène. Il sera encore une fois un précurseur, et ce sujet est encore très largement exploité!

dinosaures

Voyage au centre de la Terre

Dans « Voyage au centre de la terre », les trois explorateurs observent d'un peu trop près à leur goût un combat entre deux monstres marins, un ichthyosaure et un plésiosaure. Ces animaux ont réellement existé et vivaient sur la Terre à la même époque que les dinosaures, dont ils étaient des cousins éloignés. Ils côtoyaient des espèces que nous connaissons comme les crocodiles, les tortues, les grenouilles, les okapis.

« Impossible de fuir. Ces reptiles s'approchent ; ils tournent autour du radeau avec une rapidité que des convois lancés à grande vitesse ne sauraient égaler ; ils tracent autour de lui des cercles concentriques. J'ai pris ma carabine. Mais quel effet peut produire une balle sur les écailles dont le corps de ces animaux est recouvert ?
Nous sommes muets d'effroi. Les voici qui s'approchent ! D'un côté le crocodile, de l'autre le serpent. Le reste du troupeau marin a disparu. Je vais faire feu. Hans m'arrête d'un signe. Les deux monstres passent à cinquante toises du radeau, se précipitent l'un sur l'autre, et leur fureur les empêche de nous apercevoir. Le combat s'engage à cent toises du radeau. Nous voyons distinctement les deux monstres aux prises. »

*

« Hans a dit vrai. Deux monstres seulement troublent ainsi la surface de la mer, et j'ai devant les yeux deux reptiles des océans primitifs. J'aperçois l'œil sanglant de l'ichthyosaurus, gros comme la tête d'un homme. La nature l'a doué d'un appareil d'optique d'une extrême puissance et capable de résister à la pression des couches d'eau dans les profondeurs qu'il habite. On l'a justement nommé la baleine des Sauriens, car il en a la rapidité et la taille. Celui-ci ne mesure pas moins de cent pieds, et je peux juger de sa grandeur quand il dresse au-dessus des flots les nageoires verticales de sa queue. Sa mâchoire est énorme, et d'après les naturalistes, elle ne compte pas moins de cent quatre-vingt-deux dents.

Le plesiosaurus, serpent à tronc cylindrique, à queue courte, a les pattes disposées en forme de rame. Son corps est entièrement revêtu d'une carapace, et son cou, flexible comme celui du cygne, se dresse à trente pieds au-dessus des flots.
Ces animaux s'attaquent avec une indescriptible furie. Ils soulèvent des montagnes liquides qui s'étendent jusqu'au radeau. Vingt fois nous sommes sur le point de chavirer. Des sifflements d'une prodigieuse intensité se font entendre. Les deux bêtes sont enlacées. Je ne puis les distinguer l'une de l'autre ! Il faut tout craindre de la rage du vainqueur.
Une heure, deux heures se passent. La lutte continue avec le même acharnement. Les combattants se rapprochent du radeau et s'en éloignent tour à tour. Nous restons immobiles, prêts à faire feu.
Soudain l'ichthyosaurus et le plesiosaurus disparaissent en creusant un véritable maelström. Le combat va-t-il se terminer dans les profondeurs de la mer ?
Tout à coup une tête énorme s'élance au-dehors, la tête du plesiosaurus. Le monstre est blessé à mort. Je n'aperçois plus son immense carapace. Seulement son long cou se dresse, s'abat, se relève, se recourbe, cingle les flots comme un fouet gigantesque et se tord comme un ver coupé. L'eau rejaillit à une distance considérable. Elle nous aveugle. Mais bientôt l'agonie du reptile touche à sa fin, ses mouvements diminuent, ses contorsions s'apaisent, et ce long tronçon de serpent s'étend comme une masse inerte sur les flots calmés.
Quant à l'ichthyosaurus, a-t-il donc regagné sa caverne sous-marine, ou va-t-il reparaître à la surface de la mer ? »

Des monstres fantastiques

Les dinosaures sont des animaux préhistoriques fascinants. Plus de neuf cents espèces ont vécu pendant l'ère mésozoïque qui commence il y a 245 millions d'années et se termine il y a 65 millions d'années. Leur disparition a permis le développement des mammifères et l'apparition de l'homme sur Terre des millions d'années plus tard.

Les connaissances de l'époque

Les hommes se sont intéressés tardivement à ces géants qui ont peuplé la terre pendant 150 millions d'années. La découverte d'os gigantesques a surtout alimenté l'imaginaire en créant toutes sortes de monstres et de dragons. Ce n'est sûrement pas un hasard si la Chine, pays de dragons légendaires, possède de formidables gisements de fossiles de dinosaures ! Au XVIIe et au XVIIIe siècle, quelques savants étudient et collectionnent des fossiles en les attribuant à des géants ou des poissons. Ce n'est qu'au XIXe siècle que les premiers dinosaures sont vraiment identifiés comme des animaux préhistoriques à part entière. En Angleterre, en 1824, le mégalosaure reçoit son nom de baptême, suivi de près par l'iguanodon en 1825. Ces deux animaux sont identifiés comme étant des lézards, carnivore pour le premier et herbivore pour le second. Il y a du progrès ! Petit à petit, d'autres ossements sont découverts, étudiés, et, en 1841, Richard Owen arrive à la conclusion que ces grands reptiles forment un groupe différent de ceux déjà connus. Il associe deux racines grecques, *deinos* (« terrible ») et *sauros* (« lézard »), pour nommer ce nouveau genre. Les dinosaures sont nés ! Les fouilles de gisements connaissent alors un développement important en Europe et en Amérique du Nord, permettant une meilleure connaissance de ces géants. En 1887, la distinction en deux grands groupes est opérée en fonction de la forme du bassin des dinosaures : les saurischiens à bassin de reptile et les ornithischiens à bassin d'oiseau.

Ce que l'on sait aujourd'hui

Tout au long du XXe siècle, les découvertes sur les dinosaures avancent à pas de géant et permettent d'élucider de nombreux mystères. On sait aujourd'hui de manière certaine, par exemple, que les dinosaures ont laissé sur Terre des descendants, les oiseaux, ou bien qu'ils n'ont pas tous vécu à la même période. Certains n'ont pas su faire face aux modifications importantes du climat et de la végétation qui ont eu lieu pendant le mésozoïque. D'autres ont su s'adapter. Le mystère de leur disparition semble également avoir été résolu avec la découverte en 1993 de l'impact d'un astéroïde de 10 kilomètres de diamètre à Chicxulub, au Mexique. Cette météorite s'écrasant sur la Terre à une vitesse de 20 kilomètres par seconde a provoqué un incendie extraordinaire et une longue nuit de plusieurs mois, détruisant 70 % des organismes vivants. De nombreux points restent malgré tout à élucider, comme la couleur de leur peau, la température de leur sang, leur croissance ou leur longévité. Avis aux amateurs !

Chantier de paléontologie (1928)

Edward Drinker Cope

Cope naît à Philadelphie en 1840. Ce brillant jeune homme se passionne très vite pour les dinosaures et se lance dans la ruée vers l'os ! Il n'est pas le seul, d'autres chercheurs se sont lancés dans l'aventure. Parmi eux, Othniel Charles Marsh. Un jour, Cope invite son rival pour lui montrer un bien étrange squelette. Marsh lui fait remarquer que l'animal n'a rien d'étrange mais que sa tête est située à la place de la queue... Les deux hommes deviennent alors des ennemis et se livrent une lutte acharnée. À eux deux, ils découvriront plus de cent trente espèces !

La paléontologie et les dinosaures

Les paléontologues sont les spécialistes qui étudient les fossiles. Leur tâche est complexe. Ils doivent découvrir des fossiles, les déterrer délicatement – un travail qui peut demander des mois –, les expédier au laboratoire puis reconstituer leur squelette et enfin les étudier. Ils devront alors tenter de reconstituer leur mode de vie très précisément et comparer leurs travaux avec ceux de leurs collègues. Un véritable travail de titan. Découvre quelques caractéristiques des dinosaures.

Mais qui sont-ils ?

Les dinosaures ont des caractères communs. Ce sont des reptiles possédant quatre pattes, une colonne vertébrale et une peau imperméable à écailles. Leurs pattes se situent sous leur corps pour pouvoir supporter leur poids et leur permettre de courir vite, contrairement aux crocodiles ou aux tortues. Ils sont ovovivipares, c'est-à-dire qu'ils pondent des œufs et qu'ils les conservent dans leurs parties génitales jusqu'à leur éclosion.

Que mangeaient-ils ?

La découverte de pierres dans leur estomac servant à la digestion des végétaux, la forme de leurs dents, les restes de repas trouvés dans leur système digestif ou la composition de leurs déjections permettent aux paléontologues de savoir quel était le régime des dinosaures. Contrairement à ce que l'on pense souvent, la plupart étaient herbivores, peu d'entre eux étaient omnivores ou carnivores.

Comment vivaient-ils ?

Un bon moyen de déterminer le mode de vie des dinosaures est l'étude des empreintes laissées dans le sol. Grâce à ces précieux indices, les paléontologues réussissent à savoir où ils vivaient précisément (contrairement aux squelettes qui ont pu dériver dans des cours d'eau ou avoir été déplacés par des charognards), s'ils vivaient en groupe ou seuls, comment ils se déplaçaient et même la taille, le poids et la vitesse de l'animal ! La plus grande piste découverte dans le Colorado comporte mille trois cents empreintes de pas !

Quels étaient leurs cris ?

Un paléontologue américain, David Weishampel, a même été assez audacieux pour tenter de reconstituer le cri d'un dinosaure. Il a fait passer de l'air à travers la crête d'un lambéosauriné, sorte de long siphon qui reliait le nez à la gorge. À sa grande surprise, les sons émis ressemblaient à ceux d'un instrument de musique à vent médiéval. Décidément, aucun secret ne résiste à la curiosité des chercheurs !

Comment se déplaçaient-ils ?

Les dinosaures qui avaient besoin de courir vite étaient bipèdes. C'était le cas pour tous les carnivores qui devaient poursuivre leurs proies et pour certains herbivores qui n'avaient pas d'autres moyens de défense que la fuite. Les lents herbivores quadrupèdes, cloués au sol, disposaient de techniques de défense sophistiquées et variées : une longue queue lourde pour diplodocus ou *Euoplocephalus,* une cuirasse hérissée d'épines pour les ankylosauriens, des cornes redoutables pour certains cératopsiens, des griffes acérées pour les hadrosaures, etc.

Ampelosaurus atacis, de la famille des diplodocus

Record battu

Le plus petit dinosaure connu, le compsognathus, mesurait 48 centimètres... contre 40 à 50 mètres pour le plus grand dinosaure connu, le seismosaurus. Le plus lourd dinosaure connu, l'ultrasauros, pesait vraisemblablement 130 tonnes, soit le poids de vingt-six éléphants ! Vingt nouvelles espèces de dinosaures sont décrites chaque année.

Fabrique ton fossile

La fossilisation, c'est la transformation d'un animal ou d'un végétal qui, après sa mort, est enfoui dans les roches sédimentaires et se retrouve comme pétrifié dans le sous-sol. Les animaux peuvent être conservés dans leur intégralité, dans l'ambre par exemple, ou seulement les parties dures de leur organisme (coquilles, os), voire uniquement l'empreinte de leur corps ou de leurs pieds. Reconstitue en deux jours ce processus qui dure plusieurs millions d'années.

LE FOSSILE

Matériel nécessaire

Une coquille d'escargot vide, du plâtre, une petite cuillère, du vinaigre blanc.

Déroulement

Lave soigneusement la coquille d'escargot avec de l'eau chaude et du savon. Mets 50 grammes de plâtre dans un ramequin. Rajoute un tout petit peu d'eau pour obtenir une pâte un peu liquide. À l'aide de la cuillère, remplis la coquille. Fais-la tourner dans tous les sens pour bien faire pénétrer le plâtre puis tapote à l'aide de ton ongle sur tous les côtés pour faire sortir les bulles d'air. Pose délicatement ta coquille contre le rebord d'une assiette et n'y touche plus pendant douze heures. Rince vite le ramequin et la cuillère avant que le plâtre ne durcisse.
Si tu as plusieurs coquilles, tu peux faire des escargots de couleur en rajoutant quelques gouttes de peinture dans ta mixture.
Les douze heures sont passées ? Prends ta coquille et dépose-la dans un verre rempli de vinaigre. Sois encore un peu patient et attends de quatre à six heures.
À toi de faire fonctionner ton imagination pour réaliser de nombreux faux fossiles !

Explication

Imagine que ton escargot soit mort il y a plusieurs millions d'années. La partie molle se décompose, laissant la coquille vide. Celle-ci est peu à peu recouverte par des sédiments (sable, vase), parfois plusieurs centaines de mètres, qui, au fil des années, vont se transformer en roche. La coquille se détériore lentement pour ne laisser que son empreinte. Parfois, la coquille est retrouvée avant sa détérioration.
Dans l'expérience, le plâtre représente les sédiments, le vinaigre, l'action des sols acides sur la coquille.

Anecdote

Il semblerait que Pythagore, au Ve siècle avant J.-C., ait deviné comment s'étaient formés les fossiles. Ses découvertes retèrent dans l'oubli pendant de long siècles et, jusqu'au XVIIe siècle, les fossiles retrouvés furent l'objet de nombreuses croyances, superstitions... Ainsi, la crapaudine, simple dent de poisson fossilisée, était considérée au Moyen Âge comme une pierre aux nombreux pouvoirs magiques qui se formait dans la tête des crapauds.

De vraies stars de ciné

Les dinosaures ont depuis toujours inspiré producteurs et réalisateurs de films. Plus de quatre-vingts films sur ces gigantesques héros ont été réalisés au XXe siècle, le premier datant de 1909 ! Au fur et à mesure du développement des techniques et des effets spéciaux, les dinosaures ont pris de plus en plus de réalisme. Attention, ça fait peur !

Attention, fiction !

Tous les films, en dehors du premier, traitent d'une rencontre entre les hommes et les dinosaures, les seconds pourchassant généralement les premiers... Le scénariste de *Jurassic Park*, Michael Crichton, pour rendre l'histoire plus crédible, relate le clonage de dinosaures à partir d'ADN fossilisé, ce qui est impossible, mais ça, tout le monde ne le sait pas en visionnant le film !

Coin ! Coin !

Steven Spielberg a produit quatre films sur les dinosaures. Dans le premier, *Jurassic Park*, les techniciens se sont heurtés à un problème de taille : comment recréer les bruits émis par les dinosaures alors que les paléontologues eux-mêmes n'en avaient qu'une vague idée ? Tout simplement en les inventant ! Le rugissement du tyrannosaure est un subtil mélange entre le barrissement d'un éléphanteau, le vagissement d'un alligator et le feulement d'un tigre. Sa respiration provient du chant des baleines. Quant aux cris d'attaque poussés par les velociraptors, les techniciens ont emprunté les voix des dauphins et des oies ! Tous ces effets sonores ont contribué à rendre le film plus « parlant ».

Un travail de dinosaures

Pour réaliser une partie des trucages nécessaires au tournage de *Jurassic Park,* l'équipe des effets spéciaux a dû travailler deux ans avant que ne débute le tournage, réaliser plusieurs dinosaures à taille réelle, dont un tyrannosaure animé par un simulateur de vol ! Il a fallu autant de temps à l'équipe de la chaîne anglaise BBC pour réaliser des « documentaires » entièrement réalisés en images de synthèse. Eux aussi ont dû improviser pour reconstituer les couleurs ou les cris des animaux, mais leur plus gros travail a été de rendre crédible la vie quotidienne de l'ensemble de ces grosses bêtes. Les paléontologues qui ont participé à l'aventure ont pu s'en donner à cœur joie !

Spielberg sur le tournage de *Jurassic Park*

Godzilla

Trucages et effets spéciaux

De nombreuses techniques ont été utilisées pour réaliser les films de dinosaures, dont notamment le stop motion. Le principe : filmer image par image une maquette que l'on bouge entre chaque prise. L'ensemble monté bout à bout donnera l'illusion du mouvement. Combiné avec la technique du cache et du contre-cache, le résultat est assez fluide, le rendu assez bon. Il faut d'abord filmer les maquettes de dinosaures image par image sur une partie du cadre de la pellicule, l'autre étant cachée, puis on rembobine le film et on ôte les caches noirs. Il « suffit » alors de faire tourner les acteurs sur l'autre partie du cadre de la pellicule ! Cette technique demandait de l'argent et de la patience : presque une journée de travail était nécessaire pour réaliser moins de trente secondes de film !

La science-fiction aujourd'hui

Les entrailles de la Terre ne sont plus, pour les auteurs de science-fiction, le lieu propice pour des aventures fantastiques. Et, lorsqu'ils utilisent les mondes souterrains, c'est souvent pour y loger des créatures hors du commun.

« Il n'y avait rien de plus agréable que de rentrer chez soi [...] et de se plonger dans un bain de vase bouillonnante. »

Artemis Fowl est un dangereux criminel de douze ans. Il a réussi à se procurer le livre des fées et, connaissant tous leurs secrets, il se sent prêt à les affronter pour obtenir une somme colossale en or. Dans *Artemis Fowl*, les mondes souterrains regorgent d'habitants très différents au mode de vie particulier.

« Étendue sur son lit, Holly Short bouillait d'une rage silencieuse. Ce qui n'avait rien d'inhabituel. D'une manière générale, les farfadets n'étaient pas réputés pour leur cordialité. Mais Holly était d'une humeur particulièrement détestable, même pour une fée. En langage plus technique, c'était une elfe, le mot "fée" étant un terme général. Elle était aussi farfadet, mais uniquement à titre professionnel. »

*

« Holly roula sur elle-même, se leva de son futon et se dirigea vers la douche d'un pas incertain. C'était l'un des avantages d'habiter près du centre de la terre – l'eau était toujours chaude. Bien sûr, il n'y avait pas de lumière naturelle, mais c'était un prix modeste à payer en échange de la tranquillité. Sous terre. Le dernier espace dépourvu d'êtres humains. Il n'y avait rien de plus agréable que de rentrer chez soi après une longue journée de travail, d'éteindre son bouclier et de se plonger dans un bain de vase bouillonnante. Une véritable félicité. »

« Les trolls étaient les créatures les plus malfaisantes des profondeurs. Ils erraient dans le labyrinthe de tunnels et s'en prenaient à quiconque avait la malchance de croiser leur chemin. Leurs cerveaux minuscules ne laissaient place à aucune retenue, aucun respect des lois.

De temps à autre, l'un d'eux arrivait à se faufiler dans un puits à pression. Le plus souvent, il était carbonisé par le courant d'air brûlant mais, parfois, il survivait et se trouvait propulsé à la surface.

Rendu fou par la douleur et la lumière, si faible qu'elle fût, il s'employait généralement à tout détruire sur son passage. »

*

« Le troll était juste au-dessous d'elle, frappant à grands coups la muraille extérieure dont de gros morceaux de pierre se détachaient sous ses mains puissantes. Holly en eut le souffle coupé. C'était un véritable monstre ! Aussi grand qu'un éléphant et dix fois plus méchant. Mais pire encore que méchant, il était affolé. »

*

« Mulch manifestait un appétit prodigieux lorsqu'il s'agissait de creuser des tunnels et c'est malheureusement une expression qu'il convient de prendre au pied de la lettre. À ceux qui ne seraient pas très familiers du mécanisme d'excavation des nains, je vais m'efforcer de fournir les explications les moins malséantes possibles. Comme certains membres de la classe des reptiles, les nains ont la faculté de se décrocher la mâchoire, ce qui leur permet d'avaler plusieurs kilos de terre à la seconde. Cette matière est alors transformée grâce à un métabolisme d'une remarquable efficacité qui en conserve les minéraux les plus utiles avant d'en... expulser le reste à l'autre extrémité, si l'on peut dire. Charmant. »

Artemis Fowl,
Eoin Colfer, Gallimard Jeunesse, 2001.

La science-fiction aujourd'hui

« Voilà bientôt soixante-dix ans que nous vivons sous terre comme des rats. Chacun de nous le sait, nous ne sommes pas faits pour cette vie. »

Dans *Le Monde d'En Haut*, presque toute la population a dû se réfugier sous terre pour échapper à de grandes pollutions. Soixante-dix ans plus tard, un mouvement de résistance remet en cause la nécessité de vivre dans le Monde Souterrain.

« Les photos des holodisques ! Élodie les avait souvent regardées sur les écrans du collège. Des horreurs ! Chaque fois, elle n'avait pu s'empêcher de frissonner. La Terre y avait un aspect lunaire, avec ces immenses surfaces de terre rouge qui, dévastées par des pluies acides d'une incroyable violence, étaient devenues impropres à toute culture. Les grandes famines s'étaient déclenchées à la suite de cela, dès les premières années du XXIe siècle, et le visage de ces enfants décharnés, obligés de porter un masque à gaz pour échapper aux polluants atmosphériques revenait souvent dans ces rêves. »

« L'Institut Technologique était le fleuron de l'enseignement de Suburba, les meilleurs élèves s'y bousculaient après le lycée. Ils y apprenaient à dompter la redoutable énergie des poches de magma terrestre qui, à des centaines de mètres au-dessous de Suburba, bouillonnaient à plus de 1200 °C, à recréer l'air de la ville, à engendrer les plantes artificielles nécessaires à l'alimentation... Bref, tout ce qui faisait que Suburba s'était aussi prodigieusement développée depuis 2028, première année de la Colonisation du Monde Souterrain. »

« "–Voilà bientôt soixante-dix ans que nous vivons sous terre comme des rats. Chacun de nous le sait, nous ne sommes pas faits pour cette vie. Notre vraie vie est ailleurs, dans le Monde d'En Haut. Les habitants de Suburba ne se rendent pas compte qu'on ne les maintient ici que pour mieux les contrôler. La petite sécurité qu'offre la cité est à des kilomètres du bonheur auquel nous aspirons tous. Et, en dépit de ce qu'assure le gouverneur de Suburba, le Monde d'En Haut est viable ! Les grandes pollutions des années 2000 se sont résorbées, tous les tests récents l'ont prouvé. Jusqu'à présent, les actions entreprises par l'Aeres [Association des Enterrés pour la Remontée En Surface] sont restées ponctuelles, limitées. Et tout ce que nous y avons gagné, c'est un renforcement des mesures de contrôle de la ville. Ce qu'il faut, c'est frapper un grand coup ! En détruisant toutes les géopiles de Suburba, nous nous attaquons au cœur même de la ville. Pendant la durée des réparations, nous le savons, Suburba sera plongée dans l'obscurité la plus totale ! Plus de lumière, plus d'eau, plus de chauffage !... En quelques heures, les Suburbains se rendront compte de la fragilité de ce monde artificiel dans lequel on les contraint à vivre. À nous de faire le nécessaire ensuite pour les entraîner à exiger la réouverture des accès au Monde d'En Haut. Une fois les portes réouvertes, chacun sera libre de choisir entre partir ou rester ! Libre..." »

*

« Tout le paysage était recouvert de cette sorte de mousse blanche qui continuait de tomber du ciel en petites masses légères et se déposaient sans bruit sur le sol. Même les montagnes avaient disparu, absorbées par toute cette blancheur.

"– C'est beau ! s'exclama Élodie. Le seul dommage, c'est que leur foutu soleil a l'air d'avoir des ratés, continua-t-elle en observant le disque pâle qui perçait avec peine au travers des nuages. Pas une panne depuis des millions d'années ! Tu parles." »

Le Monde d'En Haut,
Xavier-Laurent Petit, Casterman, Coll. Romans dix et plus, 1998.

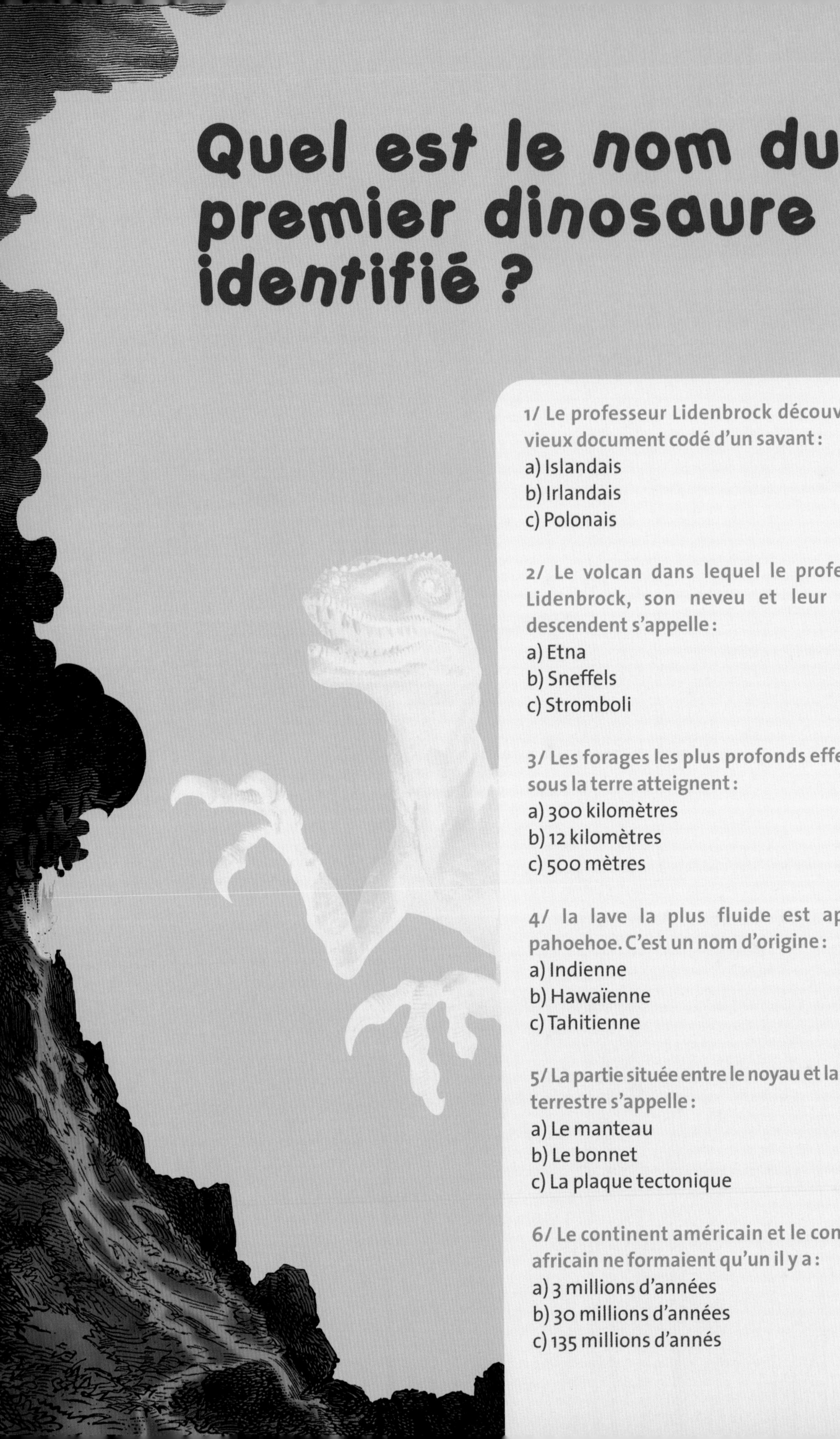

Quel est le nom du premier dinosaure identifié ?

1/ Le professeur Lidenbrock découvre un vieux document codé d'un savant :
a) Islandais
b) Irlandais
c) Polonais

2/ Le volcan dans lequel le professeur Lidenbrock, son neveu et leur guide descendent s'appelle :
a) Etna
b) Sneffels
c) Stromboli

3/ Les forages les plus profonds effectués sous la terre atteignent :
a) 300 kilomètres
b) 12 kilomètres
c) 500 mètres

4/ la lave la plus fluide est appelée pahoehoe. C'est un nom d'origine :
a) Indienne
b) Hawaïenne
c) Tahitienne

5/ La partie située entre le noyau et la croûte terrestre s'appelle :
a) Le manteau
b) Le bonnet
c) La plaque tectonique

6/ Le continent américain et le continent africain ne formaient qu'un il y a :
a) 3 millions d'années
b) 30 millions d'années
c) 135 millions d'annés

Quiz

7/ Le volcan martiniquais s'appelle :
a) La montagne Pelée
b) Le volcan Pelade
c) Le mont Orange

8/ L'ichtyosaure et le plésiosaure sont des :
a) Dinosaures
b) Reptiles
c) Stégosaures

9/ Le premier dinosaure à être identifié est un :
a) Iguanodon
b) Stégosaure
c) Mégalosaure

10/ l'inventeur du nom « dinosaure » s'appelle :
a) Edward Drinker Cope
b) William Buckland
c) Richard Owen

11/ Le plus lourd dinosaure connu, l'ultrasauros, pesait :
a) 130 tonnes
b) 80 tonnes
c) 220 tonnes

12/ Les dinosaures ont vécu :
a) 220 millions d'années
b) 150 millions d'années
c) 6 millions d'années

13 / Les dinosaures étaient :
a) Herbivores
b) Carnivores
c) Herbivores, carnivores ou omnivores

14 / Les dinosaures étaient :
a) Bipèdes ou quadrupèdes
b) Bipèdes
c) Quadrupèdes

15/ On dit :
a) Un fossile
b) Une fossile
c) Les deux sont admis

16/Le second film de Steven Spielberg sur les dinosaures s'appelait :
a) *Un million d'années avant J.-C.*
b) *Le Monde perdu*
c) *T. rex passe à l'attaque*

Réponses : 1.a, 2.b, 3.b, 4.b, 5.a, 6.c, 7.a, 8.b, 9.c, 10.c, 11.a, 12.b, 13.c, 14.a, 15.a, 16.b

Jules
& l'

L'espace commence là où l'atmosphère s'arrête, à une centaine de kilomètres au-dessus de nos têtes. Jules Verne, fasciné par cette immensité, parsème ses romans de commentaires poétiques ou scientifiques sur le ciel, les étoiles et les planètes. Et comme l'impossible n'est pas Jules Verne, pourquoi ne pas envoyer tout simplement des hommes faire un petit tour dans l'espace?

espace

De la Terre à la Lune

Dans « De la Terre à la Lune », un gigantesque canon lance un obus dans lequel voyagent deux Américains, Barbicane et Nicholl, et un Français, Michel Ardan. Ils arrivent à échapper à l'attraction terrestre et approchent de la Lune qu'ils peuvent observer de près. Il faudra à Jules Verne un deuxième roman, « Autour de la Lune », pour faire revenir ses aventuriers jusqu'à la Terre.

De la Terre à la Lune

« "Il n'est aucun de vous, braves collègues, qui n'ait vu la Lune, ou tout au moins, qui n'en ait entendu parler. Ne vous étonnez pas si je viens vous entretenir ici de l'astre des nuits. Il nous est peut-être réservé d'être les Colombs de ce monde inconnu. Comprenez-moi, secondez-moi de tout votre pouvoir, je vous mènerai à sa conquête, et son nom se joindra à ceux des trente-six États qui forment ce grand pays de l'Union !
– Hurrah pour la Lune ! s'écria le Gun-Club d'une seule voix." »

*

« Au moment où la gerbe incandescente s'éleva vers le ciel à une prodigieuse hauteur, cet épanouissement de flammes éclaira la Floride entière, et, pendant un instant incalculable, le jour se substitua à la nuit sur une étendue considérable de pays. Cet immense panache de feu fut aperçu de cent milles en mer du golfe comme de l'Atlantique, et plus d'un capitaine de navire nota sur son livre de bord l'apparition de ce météore gigantesque. La détonation de la Columbiad fut accompagnée d'un véritable tremblement de terre. La Floride se sentit secouer jusque dans ses entrailles. Les gaz de la poudre, dilatés par la chaleur, repoussèrent avec une incomparable violence les couches atmosphériques, et cet ouragan artificiel, cent fois plus rapide que l'ouragan des tempêtes, passa comme une trombe au milieu des airs. »

*

« Que de questions soulevait ce dénouement inattendu ! Quelle situation grosse de mystères l'avenir réservait aux investigations de la science ! Grâce au courage et au dévouement de trois

hommes, cette entreprise, assez futile en apparence, d'envoyer un boulet à la Lune, venait d'avoir un résultat immense, et dont les conséquences sont incalculables. Les voyageurs, emprisonnés dans un nouveau satellite, s'ils n'avaient pas atteint leur but, faisaient du moins partie du monde lunaire ; ils gravitaient autour de l'astre des nuits, et, pour la première fois, l'œil pouvait en pénétrer tous les mystères. Les noms de Nicholl, de Barbicane, de Michel Ardan, devront donc être à jamais célèbres dans les fastes astronomiques, car ces hardis explorateurs, avides d'agrandir le cercle des connaissances humaines, se sont audacieusement lancés à travers l'espace, et ont joué leur vie dans la plus étrange tentative des temps modernes. »

Autour de la Lune

« Et maintenant, cette tentative sans précédents dans les annales des voyages amènera-t-elle quelque résultat pratique ? Établira-t-on jamais des communications directes avec la Lune ? Fondera-t-on un service de navigation à travers l'espace, qui desservira le monde solaire ? Ira-t-on d'une planète à une planète, de Jupiter à Mercure, et plus tard d'une étoile à une autre, de la Polaire à Sirius ? Un mode de locomotion permettra-t-il de visiter ces soleils qui fourmillent au firmament ?
À ces questions, on ne saurait répondre. Mais, connaissant l'audacieuse ingéniosité de la race anglo-saxonne, personne ne s'étonnera que les Américains aient cherché à tirer parti de la tentative du président Barbicane. »

Etats-Unis - Lune, aller et retour

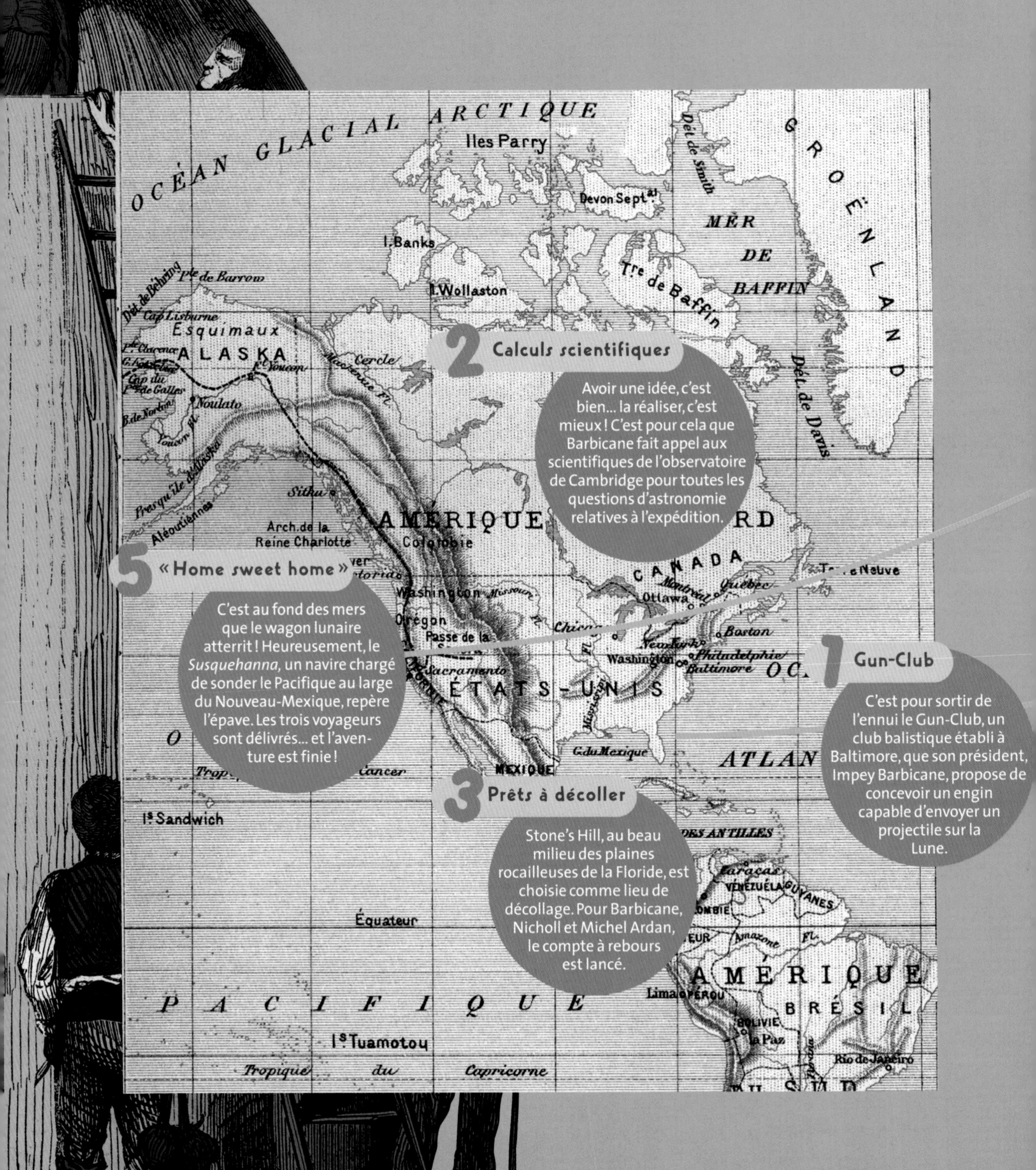

1 Gun-Club

C'est pour sortir de l'ennui le Gun-Club, un club balistique établi à Baltimore, que son président, Impey Barbicane, propose de concevoir un engin capable d'envoyer un projectile sur la Lune.

2 Calculs scientifiques

Avoir une idée, c'est bien... la réaliser, c'est mieux ! C'est pour cela que Barbicane fait appel aux scientifiques de l'observatoire de Cambridge pour toutes les questions d'astronomie relatives à l'expédition.

3 Prêts à décoller

Stone's Hill, au beau milieu des plaines rocailleuses de la Floride, est choisie comme lieu de décollage. Pour Barbicane, Nicholl et Michel Ardan, le compte à rebours est lancé.

5 « Home sweet home »

C'est au fond des mers que le wagon lunaire atterrit ! Heureusement, le *Susquehanna*, un navire chargé de sonder le Pacifique au large du Nouveau-Mexique, repère l'épave. Les trois voyageurs sont délivrés... et l'aventure est finie !

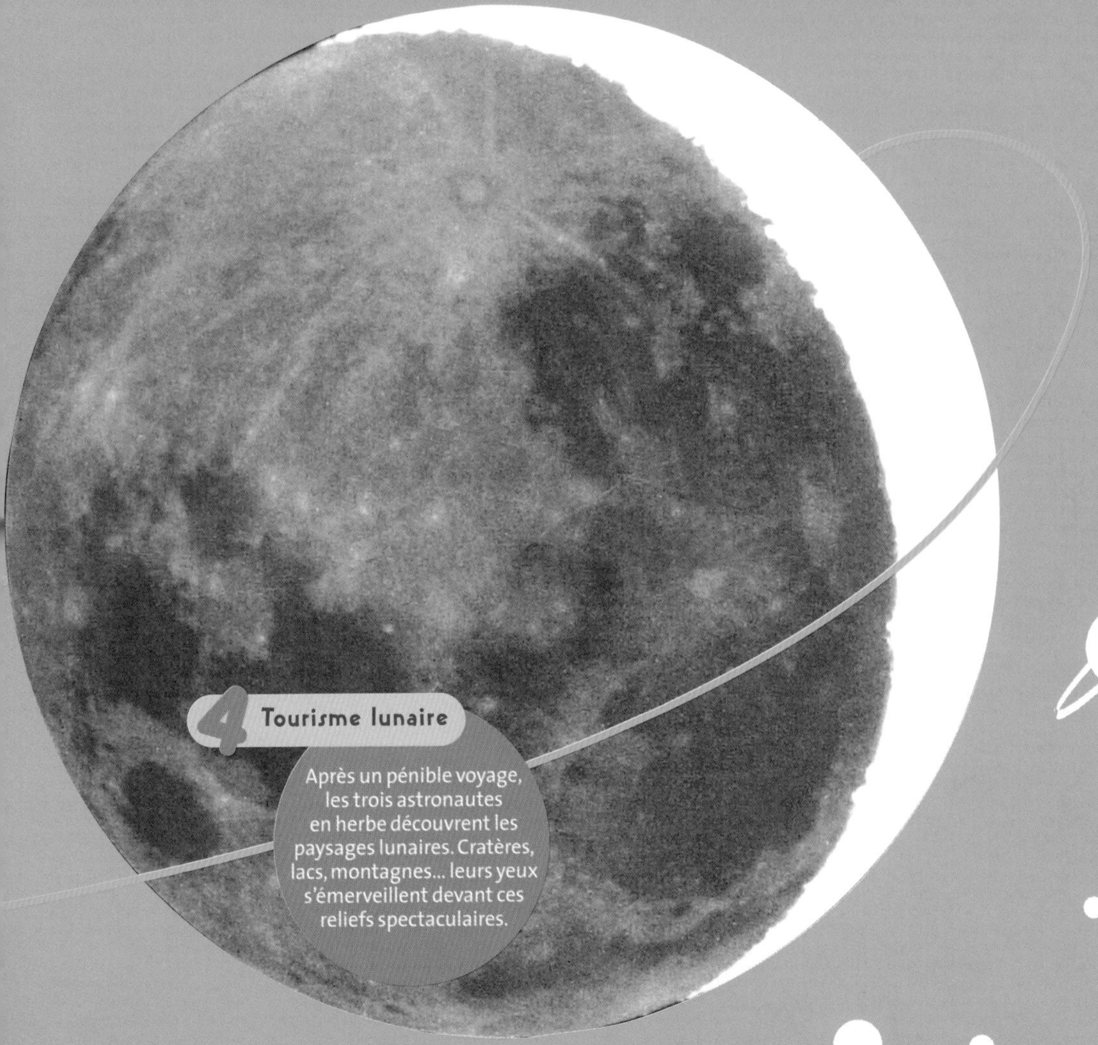

4 Tourisme lunaire

Après un pénible voyage, les trois astronautes en herbe découvrent les paysages lunaires. Cratères, lacs, montagnes... leurs yeux s'émerveillent devant ces reliefs spectaculaires.

Les inventions de Jules

Au XIXe siècle, la technologie ne permet pas d'imaginer un voyage, même inhabité, dans l'espace. Cela reste du domaine de l'imaginaire. Jules Verne a donc peu de documents sur lesquels se baser pour rédiger ses deux livres lunaires. Mais, une fois encore, il en étonnera plus d'un en faisant décoller l'engin spatial de ses héros près de cap Canaveral, en Floride, la future base de lancement américaine !

Carte de vœux célébrant *Spoutnik*

Les connaissances de l'époque

Au XIXe siècle, les fusées existent déjà depuis plus de cinq cents ans ! Les Chinois remplissent des cylindres de poudre noire et les expédient sur la tête de leurs ennemis. Ces instruments guerriers traversent les frontières et se transforment même à l'occasion en outils de fête, les feux d'artifice ! Trop de contraintes technologiques empêchent les scientifiques d'imaginer des fusées capables de se libérer de l'attraction terrestre pour rejoindre l'espace. Pourtant, Isaac Newton, en établissant en 1687 les principes d'attraction et d'action-réaction, avait posé les bases de l'astronautique. Il faut attendre encore deux cents ans avant qu'un professeur de physique russe, Konstantine Tsiokolvski, ne réalise qu'une fusée peut se propulser dans le vide. Il va même jusqu'à décrire un type de combustible, un mélange d'oxygène et d'hydrogène liquides, pour remplacer la poudre noire, et ce combustible est encore utilisé aujourd'hui ! Ce sera à peu près tout pour le siècle de Jules Verne.

Ce que l'on sait aujourd'hui

Peu à peu, aux États-Unis, en Union soviétique, en Allemagne, les engins se perfectionnent. Après la Seconde Guerre mondiale, les Américains et les Soviétiques vont mettre un point d'honneur à être les premiers dans l'espace, chacune des deux grandes puissances voulant prouver à l'autre sa supériorité technologique et militaire. La course aux étoiles est d'abord un enjeu politique : les fusées sont envisagées comme une arme et non comme un « mode de transport ». Les Soviétiques prennent les Américains de vitesse : ils envoient, en 1957, le premier satellite de l'espace, le *Spoutnik*, puis le premier être vivant, la chienne Laïka, puis enfin le premier homme, Iouri Gagarine, en 1961. Les Américains décident alors de mettre la barre plus haut et d'envoyer un homme marcher sur la Lune. Une fois ces exploits accomplis, les deux pays se consacrent à d'autres buts : construire une fusée réutilisable (la navette spatiale), installer des stations d'observation dans l'espace, envoyer des sondes d'exploration des planètes du système solaire, etc. La finalité devient principalement scientifique. D'autres nations viennent participer à la grande aventure spatiale et se joignent aux projets du futur.

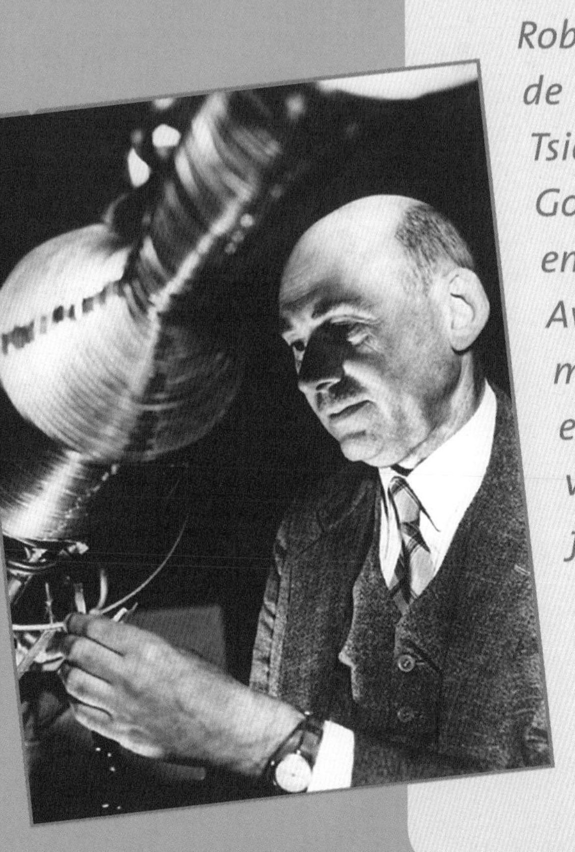

Robert Goddard

Robert Goddard est considéré comme le père de l'astronautique moderne. Konstantine Tsiokolvski était un grand théoricien, mais Goddard est, en plus, technicien : il va mettre en pratique les travaux du Russe et les siens. Avec très peu de budget, il conçoit la première fusée à ergols liquides. Elle s'envole en 1926 à 12 mètres de hauteur et à une vitesse moyenne de 96 km/h. La première fusée est née. Goddard poursuit sans relâche ses recherches et cherche à régler tous les problèmes techniques liés à la fusée sans pour autant oublier de protéger ses découvertes : il déposera au cours de sa vie deux cent quatorze brevets !

Des femmes et des hommes dans l'espace

Agacé devant les exploits spatiaux successifs des Soviétiques, le président américain John Kennedy déclare en 1961 : « Notre nation doit s'engager à faire atterrir un homme sur la Lune avant la fin de cette décennie. » Ce sera chose faite le 21 juillet 1969. Découvre l'extraordinaire aventure humaine de l'espace.

Techniques : mise en orbite...

Pour réaliser le défi de leur président, les ingénieurs ont bien du fil à retordre ! Les problèmes techniques sont nombreux. Ils optent finalement pour la solution suivante : expédier une fusée à procximité de la Lune, qui se sépare alors en deux parties. Un module reste en orbite pendant que l'autre part explorer la Lune. Les deux se rejoignent ensuite pour effectuer le retour vers la Terre... Pas question de réaliser cet exploit immédiatement en risquant l'échec et la vie des astronautes. De nombreuses missions successives portant le nom de code *Gemini* puis *Apollo* sont effectuées pour valider les technologies nécessaires au projet. En 1965, le rendez-vous dans l'espace entre deux modules indépendants est une réussite.

Mise en orbite d'un module de commande

Les premiers pas

Le 16 juillet 1969, le vaisseau *Apollo 11* décolle de la Terre avec à son bord trois astronautes. Le 19 juillet, ils atteignent la périphérie de la Lune. Le 20 juillet, le module lunaire se détache et entame sa descente jusqu'à la mer de la Tranquillité. Le 21 juillet, Neil Armstrong pose un pied sur la Lune et prononce ces paroles devenues célèbres : « C'est un petit pas pour l'homme et un bond de géant pour l'humanité. » Devant leurs postes de télévision en noir et blanc, 733 millions de spectateurs du monde entier suivent l'événement !

Les pas suivants

Le programme lunaire ne s'arrête pas une fois ce prodige accompli : sept autres fusées *Apollo* suivent le chemin de la Lune de 1969 à 1972. Les astronautes d'*Apollo 13* n'arriveront jamais jusqu'à la Lune et rejoignent miraculeusement la Terre à la suite d'une explosion qui endommage leur vaisseau. *Apollo 15* emporte la célèbre « Jeep lunaire » qui aide les astronautes à se déplacer sur le sol lunaire et à ramener des échantillons. Au total, douze hommes marcheront sur le sol de la Lune pour poser des appareils scientifiques, prendre des photographies, prélever des morceaux de roches, et sûrement admirer les paysages et profiter de leur chance... La course aux étoiles est terminée.

Séjourner dans l'espace

Les budgets des superpuissances ne permettent plus de continuer à développer l'envoi de vols habités vers d'autres planètes. Le projet Apollo a coûté 24 milliards de dollars, l'équivalent aujourd'hui de 100 milliards de dollars... D'autres paris sont lancés comme les « maisons » dans l'espace, et les Russes vont devenir les champions de ces stations orbitales. Ces laboratoires, situés à 400 kilomètres de la Terre, permettent d'accueillir plusieurs cosmonautes sur de longues périodes. Les débuts sont difficiles et parsemés d'accidents, mais finalement sept stations *Saliout* sont mises en service à partir de 1971. Les Américains lancent une seule station, le *Skylab*, en 1973. En 1986, la station *Mir* a été la plus grande jamais réalisée : elle pouvait loger douze cosmonautes et a vécu quinze ans. Une nouvelle station, internationale cette fois-ci, est en cours d'assemblage dans l'espace. Deux modules sont déjà en place. C'est le plus grand chantier spatial de l'histoire.

L'astronaute d'*Apollo 11* salue le drapeau

Indispensables satellites

Envoyer des femmes et des hommes dans l´espace est une prouesse technologique et permet de faire avancer la science dans de nombreux domaines. Mais l´espace est devenu essentiellement le lieu d´enjeux commerciaux et militaires colossaux avec la mise en orbite de satellites. Cinq mille satellites ont été lancés depuis 1957. Voici en vrac quelques questions et leurs réponses.

Réparation d'un satellite dans l'espace

Mais qu´est-ce qu´un satellite ?

Un satellite est une sorte de robot envoyé dans l'espace pour une raison spécifique. Il doit se débrouiller tout seul dans l'espace et pouvoir, par exemple, se déplacer pour changer d'orbite. Ses ailes dorées sont des panneaux solaires qui lui apportent l'énergie nécessaire pour fonctionner. Les satellites ne sont pas tous placés sur la même orbite car c'est leur mission qui définit leur emplacement.

À quoi servent les satellites ?

Les deux principales missions des satellites consistent à observer la Terre et à permettre les télécommunications de notre planète. Grâce aux images prises, ces espions discrets fournissent des renseignements précieux permettant d'établir des cartes précises, de mesurer les océans, de prévoir le temps, d'étudier les déplacements des animaux, de surveiller les installations militaires, etc. Les satellites de télécommunication, quant à eux, permettent simplement de recevoir les télévisions du monde entier ou de communiquer sur des téléphones mobiles par exemple. Sans eux, des milliers d'antennes relais seraient nécessaires, alors que trois ou quatre satellites disposés autour de la Terre suffisent pour relier un émetteur d'ondes et un récepteur.

La planète bleue, prise en photo par un satellite

Quelle est l'espérance de vie d'un satellite ?

En fait, tout dépend de l'endroit où il vit. Plus il est proche de la Terre, plus son espérance de vie est courte. À 200 kilomètres il peut vivre seulement quelques jours, à 400 kilomètres, quelques mois, à 36 000 kilomètres, un million d'années... Mais la durée de vie des satellites est plus courte car leur équipement ne résiste pas aussi longtemps à l'agressivité du milieu spatial. Ils durent en moyenne entre cinq et quinze ans.

Qui lance des satellites ?

La guerre des étoiles a coûté cher, la course aux satellites rapporte beaucoup ! La France lance ses premiers satellites scientifiques dès 1965 avec ses propres fusées appelées *Diamant*. Elle s'allie par la suite aux Européens pour construire des fusées classiques, les *Ariane*, de plus en plus perfectionnées. Pendant ce temps, les Américains perdent un temps précieux à essayer de mettre au point la navette spatiale, une fusée en partie réutilisable et moins chère. Résultat, les Européens ont réussi à se tailler la part du lion sur le marché mondial des lancements de satellites. Les Américains doivent partager la moitié du gâteau avec les autres pays lanceurs de satellites : la Chine, le Japon, la Russie, l'Inde et Israël. D'autres ne tarderont pas à suivre !

Satellite d'observation écologique

Histoires de fusées

Depuis le lancement du « *Spoutnik* » en 1957, plus de quatre mille engins ont été envoyés dans l'espace, laissant derrière eux une quantité incroyable de déchets. Les débris de fusées ou de satellites en fin de vie n'ont pas tous été brûlés dans l'atmosphère. Et c'est bien dommage, car cela représente environ dix mille objets de plus de 10 centimètres, cent mille objets entre 1 et 10 centimètres, qui volent autour de la Terre à une vitesse variant entre 15 000 et 50 000 km/h ! Ces déchets, dont le poids total estimé est supérieur à 4 500 tonnes, sont surveillés de très près afin d'éviter des collisions avec les satellites en activité, les stations orbitales ou les mécaniciens de l'espace pour qui une rencontre avec un déchet pourrait être fatale !

Chacun cherche son nom

Chaque nation appelle les hommes qui voyagent dans l'espace de noms différents. Les Américains s'appellent des astronautes, les Russes des cosmonautes, les Européens des spationautes... Et, depuis 2003, date à laquelle le premier Chinois a été envoyé dans l'espace, il faudra aussi compter sur les taïkonautes !

Les trois astronautes américains d'*Apollo 11*

Des vacances de luxe

Ça te tente, un petit voyage dans l'espace ? Pas de problème, c'est aujourd'hui possible... mais la note est salée. Le premier touriste de l'espace a dû débourser en 2001 20 millions de dollars pour pouvoir passer une petite semaine à bord du module soviétique de la station spatiale internationale. De plus, le millionnaire a suivi un entraînement physique rigoureux de plusieurs mois avant d'être accepté. Un deuxième touriste s'est lancé dans l'expérience pour le même tarif tandis que le troisième déclarait forfait pour des raisons de santé. À qui le tour, mesdames et messieurs les millionnaires ?

Anecdotes

Astronaute et cosmonaute se réconciliant dans l'espace (1975)

Une tasse de thé ?

L'un des premiers gestes de réconciliation entre les Américains et les Soviétiques se déroule dans l'espace. Le 15 juillet 1975, *Soyouz 19* décolle de la base de Baïkonour en direction des États-Unis. Quelques heures plus tard, *Apollo 18* prend la direction de l'URSS. Les deux vaisseaux se rencontrent dans l'espace et s'arriment l'un à l'autre grâce à un module spécialement créé pour l'occasion. Astronautes et cosmonautes pourront se rendre mutuellement visite pendant quarante-huit heures avant de se séparer !

L'espace est à tout le monde

Même dans l'espace, on n'a pas le droit de faire tout et n'importe quoi. En 1958, l'ONU crée le *Comité de l'espace des Nations unies*. Les grands principes du droit de l'espace sont définis et aboutissent à un traité en 1967. Voici quelques-unes de ses règles : l'espace appartient à tout le monde, personne ne peut se l'approprier ; les activités menées dans l'espace doivent l'être dans le bien et l'intérêt de tous les pays quelle que soit leur importance économique ou scientifique ; l'espace ne doit accueillir aucune arme de quelque sorte que ce soit. Ainsi, les personnes qui vendent des terrains lunaires sont des escrocs et des hors-la-loi !

Télé et réalité

Les États-Unis réalisent un prototype de navette spatiale en 1977 pour tester l'atterrissage en vol des futures navettes spatiales. Il doit s'appeler *Constitution*. Mais, à cette même époque, une série télévisée de science-fiction « Star Trek », fait rage. Les membres de l'équipage voyagent dans l'espace à bord d'un vaisseau spatial appelé l'*Enterprise*. Les fans de la série font des pieds et des mains pour obtenir du gouvernement le changement du nom de la navette qui est renommée *Enterprise* !

L'*Enterprise* de « Star Trek »

Fabrique ta fusée

La gravité et le principe d'action-réaction sont des notions établies par Isaac Newton en 1687 et pas toujours faciles à comprendre. Heureusement, il existe des expériences simples pour mettre en relief ces lois si utiles lorsque l'on envoie des fusées ou des satellites dans le ciel.

SATELLITE EN ORBITE

Attention, cette expérience est à réaliser en été, en maillot de bain, sur la plage ou dans un jardin.

Matériel nécessaire

Un seau, de l'eau.

Déroulement

Remplis le seau à moitié d'eau. Fais-le tourner très vite autour de toi, puis recommence plus lentement.

Explication

La gravité est la force qui attire tout être vivant ou tout objet sur la Terre. On raconte qu'Isaac Newton a découvert ce principe fondamental en observant les pommes tomber après s'être assoupi sous un pommier ! Toujours est-il que c'est cette force qui détermine la vitesse des satellites mis en orbite. Plus ils sont près de notre planète, plus ils doivent aller vite pour échapper à la gravité et ne pas retomber sur Terre. Quand tu as tourné le seau très vite, l'eau est restée au fond de ton seau. La vitesse a été plus importante que la gravité. Lorsque tu as tourné le seau moins vite, c'est la gravité qui l'a emporté… Et tu es trempé mais content d'avoir appris quelque chose, non ?

MINIFUSÉE

Matériel nécessaire

Un ballon de baudruche, une paille, du ruban adhésif et du fil.

Déroulement

Pour connaître la longueur du fil dont tu as besoin, calcule approximativement la hauteur entre le sol et le plafond de la pièce dans laquelle tu as décidé de faire ton expérience puis rajoute 30 centimètres. Demande à un adulte d'accrocher l'une des extrémités du fil au plafond à l'aide du ruban adhésif. Passe l'autre extrémité du fil à l'intérieur de la paille. Découpe un morceau de ruban adhésif de 10 centimètres, tu en auras besoin tout à l'heure. Gonfle au maximum ton ballon de baudruche et pince l'extrémité du ballon entre ton pouce et ton index. Scotche le milieu de ton ballon à la paille, comme sur le dessin (tu peux demander de l'aide, cette opération est délicate car tu n'as qu'une main de libre !). Mets ton ballon le plus près possible du sol et laisse-le s'envoler.

Explication

Action-réaction. Quand une force s'exerce dans un sens, une autre force s'exerce dans un autre sens. Ce principe découvert par Isaac Newton est essentiel pour faire démarrer une fusée. C'est la puissance des gaz s'échappant des réacteurs sur le sol qui fait décoller la fusée vers le ciel, exactement de la même façon que l'air qui s'échappe du ballon le propulse vers le haut.

Sur la piste des fusées
Jeu no 1
Retrouve exactement l'ombre de la fusée identique à celle posée sur la Lune.
1
2
3
4
5
Jeu no 3
Sur la paroi de la fusée, on voit une quarantaine de boutons de toutes les couleurs.
Un seul bouton ouvre la porte. Il est entouré de deux boutons roses, d'un jaune et d'un vert.

Jeu nº 2
Cinq anomalies se sont glissées
dans cette image.
À toi de les retrouver.

Des images venues de l'espace

Aussi curieux que cela puisse paraître, aucun pays lanceur de fusées ne s'est préoccupé, dans les années 1960, de prendre des images dans l'espace. Les efforts technologiques à réaliser et les enjeux politiques de la conquête de l'espace étaient d'une telle envergure que ce sujet était bien loin d'être à l'ordre du jour ! De plus, les femmes et les hommes envoyés dans l'espace étaient sélectionnés pour leurs qualités de technicien, d'astronome, etc. Et pas pour leurs capacités artistiques ! Peu à peu, les centres spatiaux vont se rendre compte de l'intérêt scientifique et publicitaire des images prises dans l'espace.

Première photo de la face cachée de la Lune (1959)

Images lunaires

Dans les années 1950, photographier la Lune de la Terre est réalisable grâce à des télescopes puissants. Mais l'astre dévoile toujours la même face. Toutes les extrapolations, des plus sérieuses aux plus farfelues, cohabitent. Jusqu'au 18 octobre 1959. La sonde soviétique *Luna 3* se glisse sous la Lune et photographie, à 62 500 kilomètres de distance, sa face cachée. Les images retransmises par radio sont « décevantes », révélant seulement plus de cratères !

Du sur mesure, s'il vous plaît !

Obtenir des images à partir d'une sonde ou d'une capsule spatiale ne pose pas de problèmes techniques insurmontables. Mais sortir les caméras ou les appareils photo dans l'espace n'est pas une mince affaire. Ils doivent supporter des conditions extrêmes : températures élevées (186 °C) ou très basses (– 114 °C), radiations solaires et variations de pression importantes. Pour être opérationnel, le matériel embarqué subit des modifications. Les appareils photo sont peints en noir pour éviter les réflexions du Soleil ou couleur argent lors des missions lunaires pour réfléchir, au contraire, les rayons du Soleil et diminuer les écarts de température. Les revêtements en tissu synthétique sont supprimés afin d'empêcher les émanations toxiques de vapeur. Et puis, essaye de prendre des photos avec des gants de boxe… Pas facile, n'est-ce pas ? Pour les astronautes, c'est pareil, il a donc fallu installer des boutons beaucoup plus gros !

Effets spéciaux

Pas de nuages sur la pellicule

Certains satellites sont chargés d'observer la Terre et de recueillir des données. Il en existe plusieurs sortes. Les classiques possèdent des caméras et renvoient les images à des bases terrestres. Le seul inconvénient est qu'ils ont besoin de la lumière du Soleil pour être opérationnels... et que la survenue de nuages limite considérablement leur fonctionnement ! La solution est donnée par des satellites radar. Le radar est un système qui envoie et reçoit des ondes. En fonction de leur signal, on recueille des informations sur le sol suffisamment précises pour pouvoir les transformer, sur les ordinateurs des bases terrestres, en images. C'est beau, la science !

La planète Saturne photographiée par Hubble (2003)

Deux galaxies photographiées par Hubble

L'œil de l'espace

Les télescopes, aussi perfectionnés soient-ils, ne peuvent pas étudier correctement le ciel à cause de l'atmosphère terrestre. Les astronomes rêvaient de franchir cette barrière pour observer plus précisément les galaxies. C'est chose faite en 1990 avec la mise en orbite, à 600 kilomètres de la Terre, du télescope Hubble. Les informations qu'il retransmet chaque semaine à la Terre permettent d'explorer le système solaire, de mesurer l'âge et la taille de l'Univers et de lever de nombreux mystères sur les étoiles et les planètes. En 2008, un nouveau télescope prendra la relève.

Jules
& les
dans l'

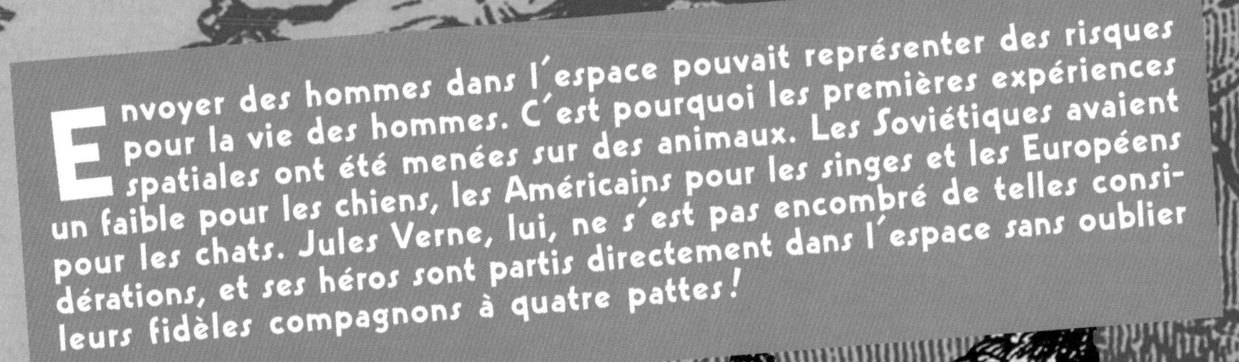

Envoyer des hommes dans l'espace pouvait représenter des risques pour la vie des hommes. C'est pourquoi les premières expériences spatiales ont été menées sur des animaux. Les Soviétiques avaient un faible pour les chiens, les Américains pour les singes et les Européens pour les chats. Jules Verne, lui, ne s'est pas encombré de telles considérations, et ses héros sont partis directement dans l'espace sans oublier leurs fidèles compagnons à quatre pattes!

De la Terre à la Lune

Dans les deux romans lunaires de Jules Verne, ses héros emmènent avec eux, dans leur fusée, une chienne et un chien, destinés à être laissés sur la Lune pour coloniser la planète. Malheureusement, l'un des chiens ne survit pas et est expédié dans l'espace. Le professeur Tournesol fera subir le même sort à un homme dans « On a marché sur la Lune » d'Hergé.

De la Terre à la Lune

« Enfin, après de longues discussions, il fut convenu que les voyageurs se contenteraient d'emmener une excellente chienne de chasse appartenant à Nicholl et un vigoureux terre-neuve d'une force prodigieuse. »

Autour de la Lune

« Quand dix heures sonnèrent, Michel Ardan, Barbicane et Nicholl firent leurs adieux aux nombreux amis qu'ils laissaient sur terre. Les deux chiens, destinés à acclimater la race canine sur les continents lunaires, étaient déjà emprisonnés dans le projectile. Les trois voyageurs s'approchèrent de l'orifice de l'énorme tube de fonte, et une grue volante les descendit jusqu'au chapeau conique du boulet. »

*

« Pendant ce temps, Ardan, ne pouvant rester immobile, tournait dans son étroite prison comme une bête fauve en cage, causant avec ses amis, parlant à ses chiens, Diane et Satellite, auxquels, on le voit, il avait donné depuis quelque temps ces noms significatifs. »

*

« "Hé ! Diane ! Hé ! Satellite ! s'écriait-il en les excitant. Vous allez donc montrer aux chiens sélénites les bonnes façons des chiens de la terre ! Voilà qui fera honneur à la race canine ! Pardieu ! Si nous revenons jamais ici-bas, je veux rapporter un type croisé de "moon-dogs" qui fera fureur !" »

« Mais Satellite ne paraissait pas. Diane continuait de gémir. On constata cependant qu'elle n'était point blessée, et on lui servit une appétissante pâtée qui fit taire ses plaintes.
Quant à Satellite, il semblait introuvable. Il fallut chercher longtemps avant de le découvrir dans un des compartiments supérieurs du projectile, où un contrecoup, assez inexplicable, l'avait violemment lancé. La pauvre bête, fort endommagée, était dans un piteux état.
"Diable ! dit Michel, voilà notre acclimatation compromise !"
On descendit le malheureux chien avec précaution. Sa tête s'était fracassée contre la voûte, et il semblait difficile qu'il revînt d'un tel choc. Néanmoins, il fut confortablement étendu sur un coussin et là, il laissa échapper un soupir. »

*

« "Bon ! Satellite n'est plus malade.
- Ah ! fit Nicholl.
- Non, reprit Michel, il est mort. Voilà, ajouta-t-il d'un ton piteux, voilà qui sera embarrassant. Je crains, ma pauvre Diane, que tu ne fasses pas souche dans les régions lunaires !"
En effet, l'infortuné Satellite n'avait pu survivre à sa blessure. Il était mort et bien mort. Michel Ardan très décontenancé, regardait ses amis. »

*

« "Il se présente une question, dit Barbicane. Nous ne pouvons garder avec nous le cadavre de ce chien pendant quarante-huit heures encore.
- Non, sans doute, répondit Nicholl, mais nos hublots sont fixés par des charnières. Ils peuvent se rabattre. Nous ouvrirons l'un des deux et nous jetterons ce corps dans l'espace." »

*

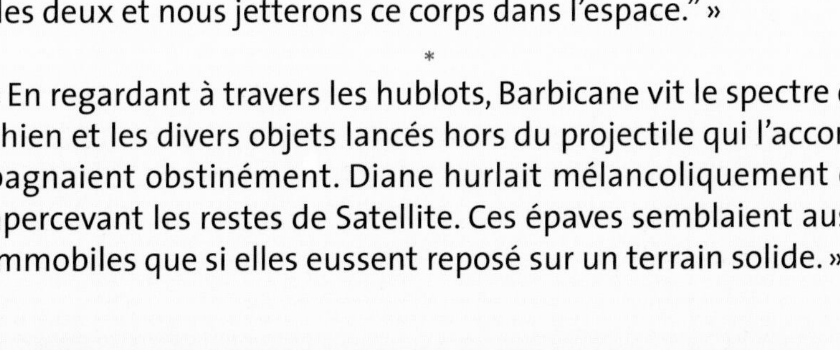

« En regardant à travers les hublots, Barbicane vit le spectre du chien et les divers objets lancés hors du projectile qui l'accompagnaient obstinément. Diane hurlait mélancoliquement en apercevant les restes de Satellite. Ces épaves semblaient aussi immobiles que si elles eussent reposé sur un terrain solide. »

Les chiens et les singes ouvrent la voie

Comment les hommes réagiront-ils aux conditions de l'espace ? À l'apesanteur ? Au stress ? Survivront-ils à une telle expérience ? Autant de questions qui ne pouvaient rester en suspens sans mettre en péril la vie de ces hommes. Les animaux ont donc pris tous les risques à leur place et parfois en y laissant leur vie. Revue de détail sur ces cobayes de l'espace.

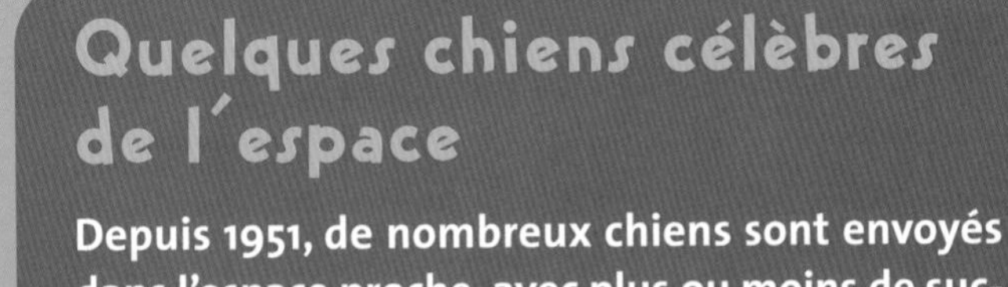

Quelques chiens célèbres de l'espace

Depuis 1951, de nombreux chiens sont envoyés dans l'espace proche, avec plus ou moins de succès, pour effectuer des vols suborbitaux. La première chienne à aller dans l'espace lointain s'envole le 3 novembre 1957, à bord d'une capsule de 64 centimètres de diamètre. Elle est âgée de deux ans et se prénomme Kudryavka... généralement connue sous le nom de Laïka, qui est le nom de sa race et signifie « petit aboyeur » en russe. Elle porte une combinaison spatiale munie d'électrodes pour contrôler les battements de son cœur, sa respiration, etc. Elle peut bouger (un peu), manger et boire, mais elle est destinée à mourir car les Soviétiques n'ont pas prévu de récupérer la capsule. La version officielle est alors qu'elle est morte par manque d'oxygène dans la capsule. En 2002, un scientifique russe révèle lors d'un congrès que la chienne n'est pas morte asphyxiée. Le satellite ne s'est pas séparé des réacteurs qui provoquèrent une hausse importante de la température. Laïka meurt entre cinq et sept heures seulement après le décollage. Bars et Lisichka n'auront pas plus de chance et périront à cause d'une explosion des réacteurs. Quant à Strelka et Belka, elles seront les premières chiennes à revenir vivantes après dix-huit orbites.

La chienne Laïka (1957)

Animaux

Les singes américains

Les astronautes devront piloter eux-mêmes leurs fusées, contrairement aux cosmonautes qui bénéficieront du pilotage automatique. C'est pourquoi les Américains préfèrent utiliser des singes lors de leurs essais. Ils leur apprennent à manœuvrer des leviers pour vérifier que les hommes seront à même d'effectuer des tâches complexes dans des conditions de stress importantes. Les premiers singes à effectuer des vols suborbitaux dès 1949 ne survivent pas à l'expérience. En 1959, le couple Able et Miss Baker s'élève à 200 kilomètres d'altitude à une vitesse de 16 000 km/h. Ils survivent à ce vol, mais le mâle meurt quelques jours plus tard pendant l'opération destinée à lui ôter les électrodes. Miss Baker, quant à elle, vivra vingt-sept ans dans un zoo. En tout, une petite centaine de singes, y compris lors d'expériences soviétiques ou françaises, ont voyagé dans l'espace.

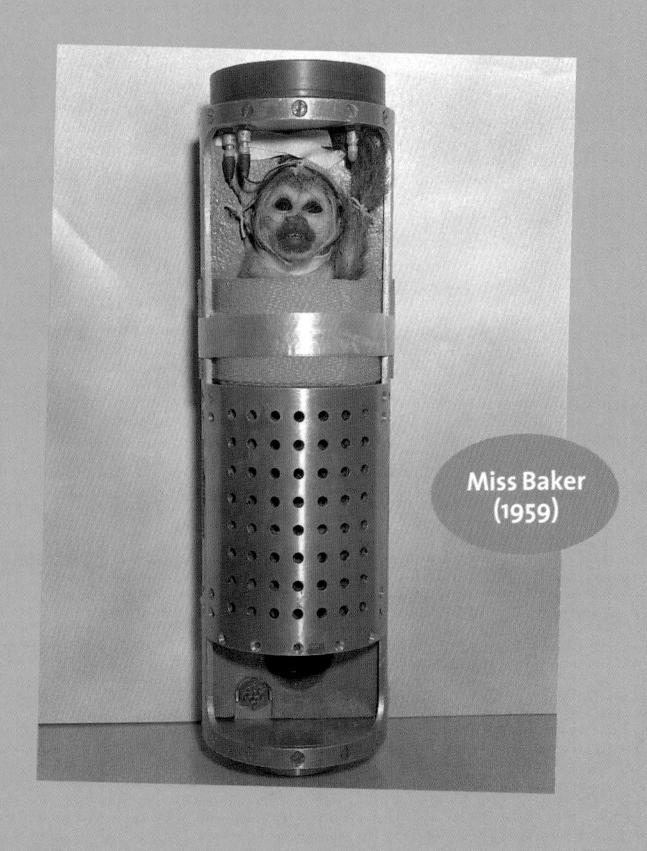

Miss Baker (1959)

Ham vérifie son équipement avant le vol (1961)

Des animaux très décorés

Les premiers animaux à avoir voyagé dans l'espace sont devenus de véritables célébrités. On sait souvent ce qu'ils sont devenus, comme le singe Ham qui a finit ses jours au zoo de Washington, ou Miss Baker au centre spatial d'Alabama. Ils reçoivent surtout tous les honneurs. Laïka a un monument à son effigie à la Cité des étoiles à Moscou, les corps de Strelka et Belka ont été conservés, l'un est au musée à Moscou, et l'autre parcourt le monde, dans une exposition. Et l'un des chiots de Strelka, Pushinka, fut offert à la fille du président américain John Fitzgerald Kennedy par le président soviétique Nikita Khrouchtchev, une manière diplomatique de dire : Na na na na nère... »

Des souris en apesanteur

Les premiers pas de l'homme dans l'espace n'ont pas pour autant, comme l'on aurait pu s'y attendre, éliminé les expériences spatiales menées sur les animaux. Le but n'est toutefois pas le même, il s'agit de tester la résistance et la capacité d'adaptation des animaux en condition d'apesanteur, et les organismes les plus divers ont été envoyés ; voici quelques exemples de cette variété animalière.

Expériences en apesanteur

Parmi tous les organismes vivants envoyés dans l'espace, on peut citer des rats, des souris, des tortues, des méduses, des poissons, des abeilles, des scarabées, des moucherons, des serpents, des criquets mais aussi toutes sortes de plantes ! Les abeilles n'ont pas été dérangées longtemps par l'apesanteur et ont recommencé à travailler comme si de rien n'était, comme Anita et Arabella, deux araignées qui ont continué à tisser leurs toiles. En attendant sagement qu'une mouche de l'espace vienne se prendre dedans ?

Des cages étonnantes

Imagine une souris dans sa cage en conditions d'apesanteur : la sciure et la nourriture planent, l'eau se transforme en boule et s'envole également, tout comme ses crottes et son urine... Tout doit donc être pensé et aménagé en fonction de ces conditions de vie très particulières. Quant aux souris, elles ne semblent pas être gênées par le fait de flotter dans l'air au lieu de courir et s'habituent très vite à leur nouvel environnement.

lounous de l'espace

s cobayes sont-ils au moins bien traités ? C'est
ut-être parce que le sujet est sensible que la
ASA affirme que les règles pour s'occuper des
imaux dans l'espace sont plus strictes que celles
i régissent les crèches... On s'occuperait ainsi
ieux des animaux spatiaux que des jeunes
fants américains ! Même si c'est vrai, cela n'em-
che pas de s'interroger sur le bien-fondé de ces
périences !

Des vers résistants

Le 1er février 2003, la navette spatiale *Columbia* s'écrase durant son retour sur Terre, causant la mort de sept astronautes. La navette contenait aussi soixante expériences scientifiques. Parmi les débris, les techniciens ont découvert que des animaux avaient survécu : entre mille et dix mille vers gros comme une tête d'épingle ont réussi à vivre malgré une accélération égale à cent mille fois la gravité terrestre !

Le dentiste de l'espace

Si tu as un jour l'intention de faire un petit tour dans l'espace, attention aux caries. Un chercheur japonais, Hidenobu Senpuku, s'est en effet rendu compte, en réalisant des expériences sur des souris, que la salive en apesanteur n'arriverait pas à accomplir sa mission de nettoyage. La bactérie à l'origine des caries se développerait alors de quarante à cinquante fois plus vite ! Heureusement, une brosse à dents « spécial humains de l'espace » est à l'étude, Ouf !

Comment respirer dans l'espace

La flamme de la bougie de cette expérience va éclairer ta lanterne. Tu vas comprendre, par l'observation, pourquoi l'oxygène est si vital aux êtres vivants et découvrir comment les hommes, les femmes et les animaux, font pour respirer dans l'espace.

De l'air parfumé

Est-ce que les roses ont le même parfum dans l'espace ? Cette question n'est pas si saugrenue qu'elle en a l'air, les fleurs émettant des odeurs différentes en fonction de leur environnement, du jour ou de la nuit, etc. Un géant de l'industrie de la parfumerie a voulu tenter l'expérience, et une rose miniature s'est envolée à bord d'une fusée en 1998. Une minuscule fibre en silicone a recueilli les molécules d'odeur qui ont été analysées à leur retour en laboratoire. Résultat : la rose émet dans l'espace moins d'arômes mais une odeur différente. Cette odeur a été intégrée rapidement à un parfum d'une célèbre marque japonaise.

RESPIRER DANS L'ESPACE

Matériel nécessaire

Une petite bougie, une soucoupe, un grand verre, un verre mesureur, un vase en verre, une montre avec trotteuse, une feuille et un crayon.

Déroulement

Fais couler un peu de cire sur la soucoupe pour fixer la bougie, puis allume-la. Renverse le grand verre par-dessus et chronomètre jusqu'à ce que la bougie s'éteigne. Recommence avec le verre mesureur et le vase en verre. Sais-tu pourquoi la bougie s'éteint ? Et pourquoi elle ne met pas le même temps pour s'éteindre ?

Explication

La flamme de la bougie a besoin d'oxygène pour brûler. Une fois qu'elle a consommé tout l'oxygène, elle s'éteint. Tes poumons, comme ceux des animaux, ont également besoin d'oxygène pour respirer. À l'intérieur des fusées, l'oxygène consommé par leurs occupants viendrait inévitablement à manquer. Or, plus on monte dans le ciel et plus l'air se fait rare. Il est donc impossible d'ouvrir un sas pour « refaire le plein » d'air. C'est pourquoi les fusées disposent de réservoirs d'air pour l'équipage.

Le cinéma de l'espace

Écrire des romans se déroulant dans l'espace nécessite de l'imagination. Réaliser des films se déroulant dans l'espace nécessite de l'imagination mais aussi nécessairement l'utilisation d'effets spéciaux. Les films mettant en scène l'espace seront ainsi de plus en plus réalistes avec le développement des techniques d'effets spéciaux. Aujourd'hui, avec le numérique, tout est possible !

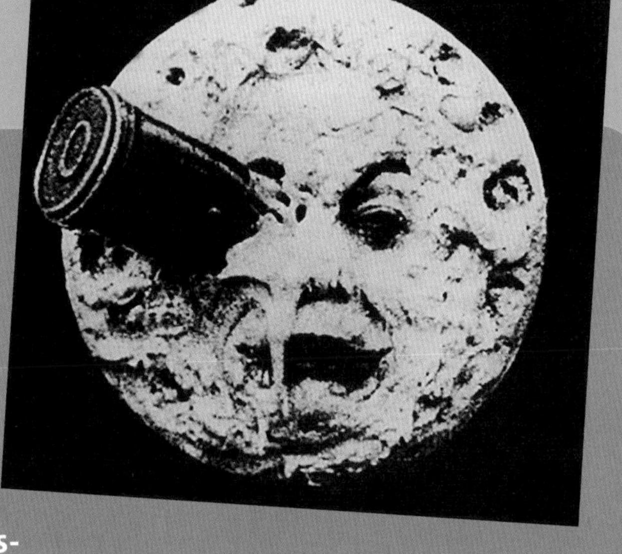

Le père des trucages

Les effets spéciaux naissent peu de temps après l'invention du cinématographe. Ils ne prendront d'ailleurs ce nom que plus tard en 1927, on parle plutôt de trucages. En France, le père des effets spéciaux s'appelle Georges Méliès. C'est un touche-à-tout créatif qui fut au départ illusionniste. Il crée à Montreuil-sous-Bois le premier studio de cinéma, dans lequel il peint des décors, joue de nombreux rôles et met en scène. Son premier trucage est le pur fruit du hasard. Un jour, alors qu'il tourne place de l'Opéra, à Paris, sa caméra se bloque et, lorsqu'il arrive à la remettre en marche, il découvre que les hommes se sont transformés en femmes et l'omnibus en corbillard ! Ce fou de fantastique ne pouvait pas manquer d'adapter des romans de Jules Verne. *Le Voyage dans la Lune*, adapté des romans lunaires de Jules Verne, sera ainsi un succès mondial. Ce film de quatorze minutes (c'est énorme pour l'époque) est tourné entièrement dans le studio de Méliès et comprend de nombreux trucages. L'humour se mêle également au fantastique, comme lorsque la Lune au visage de femme reçoit un obus dans l'œil !

« 2001 : l'Odyssée de l'espace »

2001 : l'Odyssée de l'espace de Stanley Kubrick est sorti en 1968, avant les premiers pas de l'homme sur la Lune, et surtout à la préhistoire des effets spéciaux. Filmer pour obtenir un rendu réaliste de l'espace était très ambitieux. Pour donner l'impression du vaisseau qui avance, de longs rails de travelling sont installés le long d'une maquette de vaisseau d'une quinzaine de mètres. Pour que l'image soit nette, le diaphragme de la caméra est peu ouvert et le temps d'exposition long. En clair, la caméra reste plusieurs secondes sur la même image avant de se déplacer. La stabilité des appareils est, dans ce cas, primordiale, car le moindre mouvement fausserait la prise de vues. Un jour, en regardant les épreuves, Stanley Kubrick, stupéfait, s'aperçoit que sa station spatiale fait une brusque embardée au lieu d'une trajectoire gracieuse. La solution à ce mystère est trouvée en regardant le planning... Ce jour-là, ses collaborateurs avaient demandé à avoir exceptionnellement un poste de télé pour regarder un match de foot... Et ils ont tous sauté en chœur pour applaudir un but anglais, faisant trembler le sol du studio.

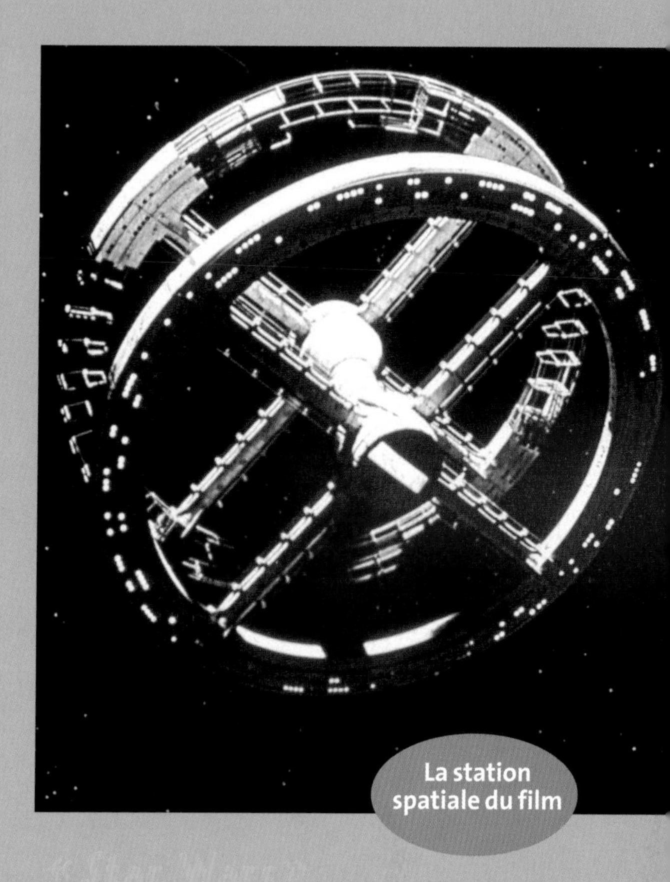

La station spatiale du film

« Star Wars »

Neuf ans après le film de Stanley Kubrick, qui a réalisé une trentaine de plans à effets spéciaux dans *2001 : l'Odyssée de l'espace*, sort *La Guerre des étoiles* de George Lucas, qui en comporte 350 ! Au bout d'un an de travail, l'équipe du film, composée de deux cents personnes, a dépensé 1 million de dollars et mis au point trois plans à effets spéciaux... Elle a surtout conçu une nouvelle caméra, la Dykstraflex, qui permet d'éviter d'animer les grosses maquettes. Montée sur une grue commandée par ordinateur, elle tourne et virevolte autour, donnant l'impression du mouvement. Sorti en 1977, le film connaît un succès planétaire. Les deux films suivants de la trilogie comporteront de plus en plus d'effets spéciaux.

Vaisseaux autour de l'Étoile Noire

La science-fiction aujourd'hui

L'exploration des planètes par les hommes n'est plus, depuis une cinquantaine d'années, du domaine de la science-fiction ! Cela n'a pas bridé l'imagination des auteurs, bien au contraire. La colonisation de l'espace par les Terriens, la manière de voyager dans l'espace, la rencontre avec des habitants d'autres planètes font partie des thèmes courants de la science-fiction.

« Les billes polymétalliques correspondant aux navires impériaux se mirent à briller. »

Dans *Chien-de-la-lune*, deux garçons et une fille embarquent à bord d'un vaisseau pour y effectuer leurs trois années de stage. Le vaisseau est vieux et emploie toujours les pouvoirs de devineresses pour contrer ses adversaires, mais le capitaine, lui, est réputé pour son courage de combattant. Engagés dans une mission périlleuse, les adolescents vont malgré tout lui être d'une aide plus que précieuse.

« Les Brisants. C'était le nom que les habitants du système solaire de Drasill donnaient à l'espace. Un espace qui les fascinait et qui les effrayait autant que les océans avaient pu effrayer et fasciner leurs ancêtres, avant que commence la grande aventure interplanétaire.

Depuis la découverte des propriétés de Planète Morte, qui avaient permis de concevoir les Chemins Blancs, rares étaient ceux qui choisissaient d'affronter les Brisants et ses dangers, pirates ou tempêtes stellaires.

D'autant qu'un voyage d'un an à travers les Brisants pouvait être accompli en seulement une heure par les Chemins Blancs ! Il fallait vraiment être fou pour s'en écarter. Ce capitaine était assurément un drôle de personnage. »

« Cela faisait dix ans que Vrânken connaissait Frä Drümar. Dix ans qu'il avait hérité du Rongeur d'Os. Dix ans qu'il avait affronté les Brisants pour la première fois.

Science-fiction

Il s'en souvenait comme si cela avait été hier...

Il venait de sortir major de l'Académie spatiale. Il était tout pétri de certitudes, et avait ressenti un profond agacement en constatant la présence, sur le navire familial, d'une devineresse.

Dans son testament, son père lui avait recommandé de la garder à bord, de ne pas se comporter comme les jeunes capitaines modernes. Par respect, il l'avait fait. Mais il voulait démontrer qu'il s'était trompé, et qu'un capitaine n'avait besoin que d'un vaisseau et de rien d'autre.

Il était donc parti plusieurs mois à l'aventure dans les Brisants. Et c'est là que tout avait changé. Car Frä Drümar l'avait sauvé par trois fois d'une mort certaine. »

« "– Messieurs, veuillez passer en mode cybercommandé. Que vos canonniers se tiennent prêts."

Une à une, les billes polymétalliques correspondant aux navires impériaux se mirent à briller. Les autres restèrent sombres.

Vrânken fit bouger ses doigts pour les assouplir. Désormais, toute la flotte était directement soumise à ses décisions ! Il était le chef d'orchestre. Et la partition qu'il allait jouer était dans sa seule tête.

Il prit une inspiration.

Puis il commença à se mouvoir autour du champ de bataille en trois dimensions. Il saisissait les vaisseaux entre ses doigts, il les déplaçait, il en posait certains, en poussait d'autres. Et dans l'espace, dehors, répondant instantanément aux sollicitations du stratège grâce aux cybercommandes, les moteurs rugissaient et les navires bougeaient ! Les morceaux de polymétal représentant la flotte ennemie, quant à eux, se mouvaient sous les yeux de Vrânken en réponse à ses coups. »

***Chien-de-la-lune*,**
Erik L'Homme, Hors-piste, Gallimard Jeunesse, 2004.

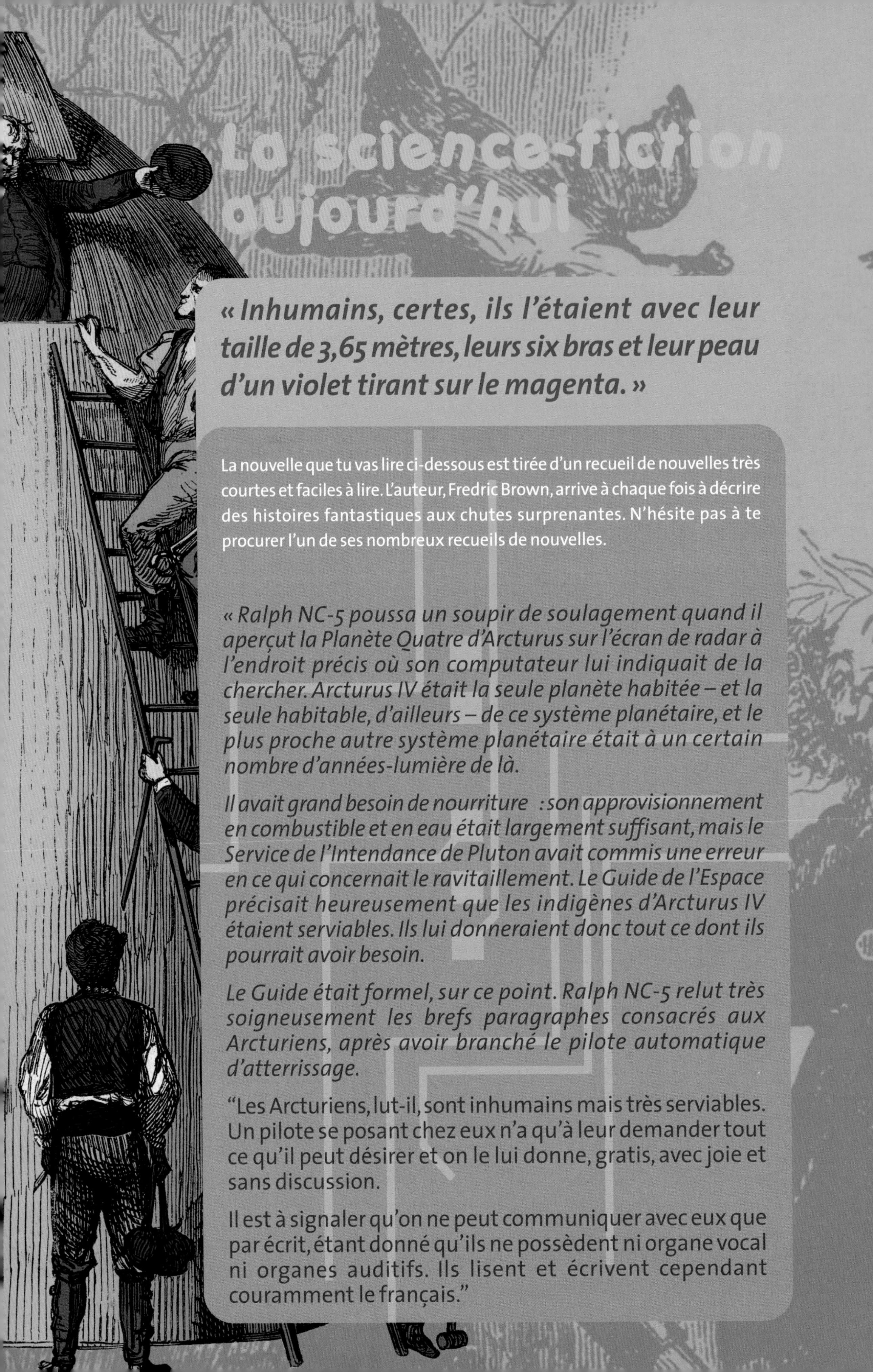

La science-fiction aujourd'hui

« Inhumains, certes, ils l'étaient avec leur taille de 3,65 mètres, leurs six bras et leur peau d'un violet tirant sur le magenta. »

La nouvelle que tu vas lire ci-dessous est tirée d'un recueil de nouvelles très courtes et faciles à lire. L'auteur, Fredric Brown, arrive à chaque fois à décrire des histoires fantastiques aux chutes surprenantes. N'hésite pas à te procurer l'un de ses nombreux recueils de nouvelles.

« Ralph NC-5 poussa un soupir de soulagement quand il aperçut la Planète Quatre d'Arcturus sur l'écran de radar à l'endroit précis où son computateur lui indiquait de la chercher. Arcturus IV était la seule planète habitée – et la seule habitable, d'ailleurs – de ce système planétaire, et le plus proche autre système planétaire était à un certain nombre d'années-lumière de là.

Il avait grand besoin de nourriture : son approvisionnement en combustible et en eau était largement suffisant, mais le Service de l'Intendance de Pluton avait commis une erreur en ce qui concernait le ravitaillement. Le Guide de l'Espace précisait heureusement que les indigènes d'Arcturus IV étaient serviables. Ils lui donneraient donc tout ce dont ils pourrait avoir besoin.

Le Guide était formel, sur ce point. Ralph NC-5 relut très soigneusement les brefs paragraphes consacrés aux Arcturiens, après avoir branché le pilote automatique d'atterrissage.

"Les Arcturiens, lut-il, sont inhumains mais très serviables. Un pilote se posant chez eux n'a qu'à leur demander tout ce qu'il peut désirer et on le lui donne, gratis, avec joie et sans discussion.

Il est à signaler qu'on ne peut communiquer avec eux que par écrit, étant donné qu'ils ne possèdent ni organe vocal ni organes auditifs. Ils lisent et écrivent cependant couramment le français."

Ralph NC-5 sentait sa salive monter, pendant qu'il cherchait le plat qui lui paraîtrait le plus savoureux, après deux jours de jeûne total précédé de cinq jours de strict rationnement ; c'est une semaine auparavant qu'il avait constaté l'erreur du Service de l'Intendance en rangeant le contenu de ses tiroirs.

L'image d'un plat succulent chassait l'image d'un autre, dans son cerveau affamé.

Il posa son astronef. Les Arcturiens, au nombre d'une douzaine, s'approchèrent. Inhumains, certes, ils l'étaient avec leur taille de 3,65 mètres, leurs six bras et leur peau d'un violet tirant sur le magenta. Ils s'approchèrent et celui qui paraissait être le chef s'inclina cérémonieusement en tendant du papier et un crayon.

D'un seul coup, l'hésitation de Ralph NC-5 disparut, il sut exactement ce qu'il désirait, de toute urgence. Très rapidement il l'écrivit et rendit le papier au chef des Arcturiens. Celui-ci lut, passa le papier à un autre et tous se repassèrent le papier après l'avoir lu.

Et soudain Ralph NC-5 se sentit empoigné ; on l'emporta, on le lia à un poteau, on entassa des fagots à ses pieds, on mit le feu au bûcher.

Ralph NC-5 poussa des hurlements qui tombèrent non dans des oreilles de sourds mais sur une absence d'oreilles. Il hurla de douleur, puis il cessa de hurler. Le Guide de l'Espace n'avait pas menti, les Arcturiens parlent et lisent très couramment le français. Mais le Guide avait malheureusement omis de préciser qu'ils lisent sans raisonner et déchiffrent mieux les textes imprimés que les manuscrits. Sans cette omission, il est évident que Ralph NC-5 aurait soigneusement évité de faire ressembler à un g *l'y des fayots bien chauds qu'il leur avait demandés. »*

Fantômes et farfafouilles,
Fredric Brown, Présence du futur, Denoël, 1963.

Quelle est la distance entre la Terre et la Lune ?

1/ Comment s'appelle le premier homme à avoir voyagé dans l'espace ?
a) Neil Armstrong
b) Iouri Gagarine
c) Walter Schirra

2/ Comment s'appelle le premier homme qui a marché sur la Lune ?
a) Neil Armstrong
b) Iouri Gagarine
c) Walter Schirra

3/ Quelle est la distance entre la Terre et la Lune ?
a) 200 000 kilomètres
b) 380 000 kilomètres
c) 50 000 kilomètres

4/ Comment appelle-t-on un voyageur de l'espace chinois ?
a) Un chinosaute
b) Un pekinaute
c) Un taïkonaute

5/ Les premiers pas de l'homme sur la Lune datent du :
a) 21 juillet 1969
b) 12 juillet 1959
c) 3 août 1972

6/ La première chienne à voyager dans l'espace s'appelait :
a) Leïla
b) Laïka
c) Aïcha

Quiz

7/ Quand une fusée se pose sur la Lune, on dit qu'elle :
a) Atterrit
b) Pulse
c) Alunit

8/ Dans *De la Terre à la Lune*, le héros s'appelle :
a) Michel Ardan
b) Ned Land
c) Paul Newman

9/ Où se situe la base de lancement américaine ?
a) À Hawaii
b) À cap Canaveral
c) À Baïkonour

10/ Comment s'appelle la première fusée européenne ?
a) *Anne*
b) *Ariane*
c) *Marianne*

11/ En quelle année est établit le Traité de l'espace ?
a) 1957
b) 1975
c) 1967

12/ Les chiens embarqués dans le voyage autour de la Lune s'appellent :
a) Diane et Actéon
b) Diane et Satellite
c) Jupiter et Satellite

13/ Le premier singe à avoir voyagé dans l'espace s'appelait :
a) Ham
b) Harry
c) Miam

14/ *Enterprise* est à la fois le nom d'une fusée de la NASA et de celle d'une série célèbre. La série s'appelle :
a) « La Guerre des étoiles »
b) « Star Trek »
c) « Batman »

15/ Le héros des voyages lunaires s'appelle Michel Ardan. Son nom est l'anagramme de celui d'un ami de Jules Verne qui est aussi un célèbre photographe :
a) Nadar
b) Radan
c) Drana

16/ Une navette est un vaisseau spatial :
a) Qui peut servir plusieurs fois
b) Qui démarre grâce à l'énergie solaire
c) Qui fait des allers-retours entre la Lune et Mars

17/ La première femme de l'espace, Valentina Terechkova, est surnommée :
a) La fille de l'air
b) La mouette du cosmos
c) L'étrangère

Réponses : 1.b, 2.a, 3.b, 4.c, 5.a, 6.b, 7.c, 8.a, 9.b, 10.b, 11.c, 12.b, 13.a, 14.b, 15.a, 16.a, 17.b

Lexique

Abysse : fond des mers et des océans très profond.

Action-réaction (principe d') : loi prouvée par Newton: tout lancé (action) provoque une force opposée (réaction). Dans le domaine des fusées, l'action est produite par l'expulsion à grande vitesse des gaz d'échappement, la réaction est le décollage de la fusée dans le sens inverse.

Astéroïde : petite planète (quelques centaines de kilomètres de diamètre).

Astronautique : science qui étudie la navigation dans l'espace.

Atmosphère : couche d'air qui enrobe le globe terrestre.

Attraction (principe d') : loi prouvée par Newton : deux masses s'attirent de façon proportionnelle à leur poids et leur distance.

Ballast : réservoir d'eau d'un sous-marin qui sert à plonger ou à remonter à la surface.

Bathyscaphe : appareil sous-marin transportant des passagers pour des explorations sous-marines.

Bathysphère : sphère reliée à la surface par un câble servant à l'exploration sous-marine.

Carnivore : être vivant qui se nourrit de chair d'animaux.

Céphalopode : animal marin de la famille des mollusques dont une des particularités est d'avoir des tentacules munis de ventouses sur la tête.

Dérive des continents : théorie admise selon laquelle les continents se déplaceraient à la surface du globe terrestre.

Dorsale : relief sous-marin dû aux mouvements des plaques tectoniques.

Électrode : conducteur électrique appliqué sur une partie du corps.

Étoile : tout astre visible dans le ciel excepté la Lune et le Soleil.

Forage : action de percer un trou dans une matière dure.

Galaxie : ensemble d'étoiles en forme de spirale. Comprenant le Soleil, elle se présente à l'observateur sous la forme de la Voie lactée.

Géodimètre : appareil de mesure des dimensions et de la forme de la Terre.

Géologie : science qui étudie la Terre.

Herbivore : être vivant qui se nourrit exclusivement de végétaux.

Magma : roche liquide à haute température.

Météorite : fragment d'une étoile qui tombe sur la Terre ou sur un autre astre.

Nucléaire : relatif à l'énergie fournie par une réaction atomique.

Océanographie : science qui étudie les mers et les océans ainsi que les organismes qui y vivent.

Ogive : projectile.

Omnivore : être vivant qui se nourrit d'aliments divers, animaux et végétaux.

Orbite : trajectoire courbe d'un corps céleste sous l'action de l'attraction.

Orbite (mise en orbite) : faire décrire à un satellite une orbite calculée.

Ovovivipare : animal qui se reproduit par des œufs qui éclosent à l'intérieur de son corps.

Plaques tectoniques : plaques rocheuses et rigides qui composent le manteau de la Terre à la façon d'un puzzle.

Prototype : exemplaire qui sert à tester un appareil.

Radar : appareil de détection qui émet des ondes et en reçoit l'écho.

Rift : fossé dû aux mouvements des plaques tectoniques.

Schnorchel : tube affleurant à la surface qui permet aux sous-marins Diesel d'utiliser leur moteur en plongée.

Sismographe : instrument mesurant les ondes émises lors des séismes.

Subduction : glissement d'une plaque tectonique sous une autre.

Submersible : appareil capable de fonctionner sous l'eau.

Système solaire : ensemble d'étoiles qui gravitent autour du Soleil.

Télescope : instrument d'optique destiné à l'observation astronomique.

Thermocouple : instrument qui mesure de très hautes températures.

Torpille : engin explosif lancé d'un navire afin d'atteindre une cible sous l'eau.

Index

Index

Index

Solution des jeux

Sur la piste des sous-marins

Jeu n° 1 / C'est le sous-marin n° 4.

Jeu n° 2 /Le poisson unique est le poisson ballon vert, qui est caché derrière les algues à droite.

Jeu n° 3 / Les dix mots à trouver sont :
Étoile (de mer), épave, éclair, enclume, échelle (sur le sous-marin), écrou (à côté de l'épave), écaille, encre, éponge, espadon.

Sur la piste des volcans

Jeu n° 1 / C'est le chemin n° 2.

Jeu n° 2 / C'est la maison qui donne sur le ponton.

Jeu n° 3 / Le bon dialogue est :
– Zut, j'ai oublié mes clefs !
– Ne t'inquiète pas, tu n'en auras bientôt plus besoin...

Sur la piste des fusées

Jeu n° 1 / L'ombre identique à celle posée sur la Lune est l'ombre n° 3.

Jeu n° 2 / Voici la liste des erreurs :
Il y a une grenouille à côté du pied de la fusée.
L'homme qui répare le satellite n'a pas de casque.
Un t-shirt flotte à la place du drapeau.
On voit une petite planète rouge à côté de la Terre.
La Jeep lunaire est couleur rose bonbon.

Jeu n° 3 / Sur la paroi de la fusée, le bouton qui ouvre la porte est le 23e bouton (de gauche à droite et de haut en bas). Il est de couleur bleue.

CRÉDITS

Toutes les illustrations proviennent
de l'agence **Photo 12**

Sauf :
Auckland University of Technology : 28-29, 34, 35
DR : 8 (bas), 15 (bas), 33, 52, 71 (bas), 91, 104-105, 114
Hoa Qui : 58
Illustrations de Jean-Philippe Gauthier : 22-23, 24-25, 36-37, 60-61, 62-63, 74-75, 98-99, 100-101, 112-113
Illustrations de Jean Soutif : 54 - 55
La maison de Jules Verne : 8 (haut), 12 (x 2), 13
Musée de la Mer : 20 (haut), 27 (haut)
NASA : 84, 87 (bas, droite), 92, 94, 95 (x2), 97 (haut), 103 (x 2), 109 (x 2), 110-111
Philippe Benoist : 69 (x 3), 72, 73
Les sculptures originales sont de Claude Moreno

Couverture : Photo 12
Sauf :
DR : haut gauche
NASA : haut droite

Direction éditoriale : Marc Van Moere
Assistante : Marie Caillat
Création graphique : Marina Delranc
Maquettiste : Jean-Philippe Gauthier
Réalisation photogravure : Frédéric Bar
Fabrication : Celine Roche

ISBN : 2-84567-232-2
Dépôt légal : mars 2005
Imprimé en Espagne